KB150984

죽지 않는 엑스트라

인타임 페이퍼북 시리즈

죽지 않는 엑스트라 4

발행일 2021년 5월 3일 초판 1쇄 2021년 5월 10일 | **발행인** 김명국 | **책임 편집** 안효정 | **제작** 최은선 | **발행처** 주식회사 인타임 **출판 등록** 107-88-06434(2013년 11월 11일) **주소** 서울시 구로구 디지털로 1길 38-21 이앤씨벤처드림타워 3차 405호 **전화** 070-7732-6293 **팩스** 02-855-4572 **이메일** in-time@nate.com | ISBN 979-11-03-31751-5 (04810) 979-11-03-31616-7 (세트)

죽지 않는 엑스트라

04

토이카 퓨전 판타지 장편소설

차례

Chapter 16.
에반 디 셰어든, 원치 않게 인맥이 넓어지다

하늘이 무너지는 소리가 났다.

"꺅!"
"무슨, 방금……?"

둘이 동시에 주먹을 내뻗으며 격돌한 순간 터져 나오는 충격파를 모두가 똑똑히 보고 느꼈다. 회장 전체가 흔들릴 정도의 진동이었으니!
반대로 말하면, 범인의 한계는 거기까지였다.

"지금 제대로 보았소? 대련이 시작되는 순간 둘이 주먹을 맞부딪힌 것처럼 보였소만."
"와, 둘 다 엄청 빠르다."

"빠르다고? 그냥 몸놀림이 빠른 게 아냐. 저건, 저 기술은 대체……!"

미하일의 능력이라면 그래도 어찌 이해할 수는 있다.

무기술 스킬 중에는 간혹 맨손으로도 발현 가능한 것이 있고, 그 힘을 주먹에 담아낸다면 저런 끔찍한 충격파가 튀어나오는 것도 불가능하지는 않으니까.

"어찌 저 가녀리기만 한 아이가 저런 힘을?"

"정녕 믿기지 않는구나……!"

하지만 에반이 보인 능력에 이르러선 그저 이해 불능의 영역이었다. 저 열두 살 소년이 기사단장의 주먹을 정면으로 받아냈다고?

물론 기사단장이 소년을 상대로 전력을 다했을 리는 없지만 그래도 저만한 힘을 당당히 주먹으로 맞받다니! 그 결과 팽팽한 접전을 이루고 있다는 것이 가장 놀라운 일이었다!

"흡!"

"흣…… 하!"

심지어 둘은 연속적으로 치고 박으며 점차 그 속도를 늘려 나갔는데, 빠르고 묵직하게 내뻗어지는 양측의 주먹이 상대를 가격하거나 허공을 가를 때 사방으로 퍼지는 압도적인 기세에 회장 전체에 연속적인 진동이 퍼졌다.

팔꿈치를, 무릎을, 어깨를. 전신을 활용한 타격기를 곁들이며 둘은 쉴 새 없이 공격을 주고받았다.

모든 일격이 터무니없이 빠르되 동시에 무거움을 놓치지 않았으니, 그것이 바로 고위 격투술 천중의 힘이었다.

"너무 빨라서 뭘 하고 있는지 잘 모르겠어……."

"강해. 도저히 아이가 지닐 수 있는 힘이 아냐. 아티팩트를 지니고 있는 것이 아닌가?"

"저만한 아티팩트의 주인이 되었다면 그것 또한 능력이지. 하지만 아마 아티팩트가 아닐 거야. 저건 본인이 강하지 않고선 내보일 수 없는 움직임이야."

에반의 움직임에 담긴 묘리를 알아볼 수 있는 이라면 누구나가 그렇게 생각했다. 아티팩트로 어찌 힘은 끌어낼 수 있어도, 움직임은 끌어낼 수 없는 법이니까.

지금 대련은 기사단장이 합을 맞춰주고 있는 것이 아니라, 에반이 기사단장을 따라잡고 있는 것이다. 미미하게 활성화되어 에반의 전신을 휘도는 마나가 그것을 증명했다.

그리고 그것이 시사하는 바가 한 가지 더 있었으니…….

"고위 격투술이 정말로 실존하고 있었다니! 지금 저 둘이 같은 기술을 쓰는 것 맞지? 세상에나, 그럼 저 나이에 고위 격투술을 전수받았다고!?"

"저 정도 능력이라면 정말 저것만으로도 플로어 마스터와 맞설 수 있을지도 모르겠어. 물론 더한 수련이 필요하겠지만…… 가능성만은 충분하지."

"허허, 이러다 파티회장이 무너지겠는데. 그럴 수는 없지……!"

기사단과의 대련으로 일어날 소동을 대비해 후작가에 상주하고 있는 천안교단의 사제가 언제든 방어막을 칠 준비를 하고 있었지만, 그가 나서기 전 멜토 폰 펠라티 백작이 먼저 마법으로 결계를 쳤다.

대련을 지켜보는 멜토의 입가엔 흐뭇한 미소가 걸려 있었다.

"정말 대단한 능력이구나, 저 나이에……."

그는 깊게 가라앉은 에반의 두 눈에서 뿜어져 나오는 전의를 느끼고 있었다.

마냥 귀엽고 사랑스럽게만 보이던 아이가, 오직 한 가지 목표를 위해 치열하게 투쟁하는 이들이나 내보일 수 있는 눈빛을 내보이고 있는 것이다. 그러니 이 어찌 놀랍고 기쁘지 않을 수 있을까.

보석처럼 예쁘기만 한 아이가 던전 기사단장이 될 것을 천명하는 모습에 경악했었지만, 지금은 충분히 이해할 수 있었다. 저 아이에겐 그럴 자격이 있었다.

"그런데 크로우, 네가 정말 저 아이와 동수를 이루었던 것이 맞느냐?"

"그, 그동안 정말로 많이 성장했네요. 지금 당장은 제가 좀 떨어질지도 모르겠어요."

한편 고고하고 우아한 자태로 마법을 부리던 벨루아의 모습에 눈이 팔려 있던 크로우는 에반과 기사단장의 대련을 보며 사색이 되어 있었다. 눈으로 따라잡는 것조차 버겁다!

에반에게 팔꿈치로 가볍게 얻어맞고 쓰러져버린 그날 이후로 절치부심 자신의 능력을 갈고닦은 크로우였으나 지금 에반의 모습을 보면 모를 수가 없었다.

자신은 그에게 여전히 한주먹감이리라는 사실을 말이다!

"하지만 제가 곧 따라잡을 겁니다! 정말로, 할 수 있어요!"

'벨루아 양을 차지…… 크흠, 그녀에게 자유를 되찾아주려면 더욱더 노력해야 해……!'

한없이 엇나간 의지를 고취시키고 있는 아들을 본 멜토 백작은 그의 속내도 모르고 흡족해했다.

비록 에반이 라이벌 삼기에는 너무 대단한 능력을 보이기는 했으나, 그로 인해 아들이 발전 의지를 보인다면 그것만으로도 무척 기쁜 일이었다.

그리고 지금은 그보다 중요한 이가 있었으니…….

"아리샤, 어떠냐. 에반이 마음에 드느냐?"

"응. 마음에 들어."

아리샤 폰 펠라티는 지금도 기사단장과 치열한 접전을 벌이고 있는 에반에게 시선을 고정한 채, 보일 듯 말 듯 미소를 지으며 말했다.

"재, 너무 재밌어."

"재밌다, 허. 그것참 재밌는 평이구나. 하지만…… 그래."

멜토 백작은 던전 기사단장이 되겠다는 에반의 선언을 돌이켜보며 히죽 웃어버리고 말았다.

저번에 에반과 온천마을에서 만난 이후로 그 아이에 대한 이야기를 일부러 많이 찾아 들었다. 그런데 던전도시에 와서 그 아이를 다시 보게 되니 그 모든 소문은 새 발의 피에 불과한 것이었다.

'에반, 저 아이는 자신이 던전도시의 귀족으로 태어났음을 누구보다도 잘 이해하고 있는 아이다. 여태까지 해온 모든 일

들은 그 파장이 외부로 퍼져나갈 정도로 대단했지만 결국 던전도시의 안전과 부흥에 초점이 맞추어져 있었지.'

여태까지 던전도시에서 세운 업적만 해도 대단한데 그 아이는 그것으로 만족하지 않고 던전 기사단을 창설하려 하고 있다. 그 어린 나이부터 벌써 6년 후를 대비해 기사단을 구축하려 들고 있는 것이다.

심지어 본신의 능력도 대단하니, 이 자리에서 에반의 실력을 본 이라면 누구나가 새로이 창설될 던전 기사단에 믿음을 가질 수 있겠지.

'소라인이 부럽구나. 에릭만 해도 던전도시를 지탱하기에 부족함이 없는 훌륭한 아이인데, 설마 저런 아이가 또 태어날 줄이야. 셰어든은 저 아이로 인해 앞으로 족히 수십 년 크게 성장하겠지!'

에반의 강렬한 매력은 오롯이 절대적인 카리스마로 치환되어 그를 바라보는 모두를 잡아끌 것이다. 던전 기사단의 미래는 밝다 못해 눈이 부시도록 찬란하다.

그가 변화시켜나갈 던전도시 셰어든의 모습이 멜토 백작 또한 못 견디도록 부럽고, 그 이상으로 기대되었다.

"그래, 정말로 재미있구나."

"그치?"

아리샤는 자신에게 동의하는 아버지에게 마주 고개를 끄덕여 보이곤 다시 에반에게로 시선을 돌렸다. 그녀의 두 볼이 미미하게 상기되어 있었다. 본인의 말마따나, 에반을 보며 무척 '재미있는' 모양이었다.

항상 매사에 무관심하던 아리샤가 이 정도로 흥미를 드러내는 대상은 아마 에반 정도이리라. 외모는 원래 완벽하고, 성격도 훌륭하며, 아리샤가 마음에 들어 하는 것 같기도 하니…… 백작은 그녀에게 조심스레 물어보았다.

"아리샤, 에반과 약혼하고 싶으냐?"

"쟤가 좋다고 하면, 응. 재밌을 것 같아."

"허허, 이것 참. 알았다. 우리 아리샤가 차이지 않게 애비가 힘을 좀 써보마."

에반이 모르는 곳에서 그의 사망 신호가 격렬하게 불을 깜박이고 있던 그때, 기사단장과 에반의 대련도 슬슬 끝을 맞이했다.

"끅……!"

"하!"

제아무리 에반이 뛰어나다 해도 열두 살 나이에 이 나라의 정점인 기사단장을 넘을 수는 없는 노릇.

에반의 모든 능력을 외부로 끌어내 보이는 데 성공했다 여긴 기사단장은 적당한 시점에서 그에게 충격을 주어 뒤로 물러서게 한 후 자신 또한 뒤로 물러섰다.

“대련 종료! 승자는 미하일 디 에어로크. 이의 있습니까?”

“아뇨, 졌습니다. 온몸이 쑤시네요.”

“무척 좋은 승부였습니다, 도련님. 설마 그 잠깐 사이 또 성장하실 줄은 몰랐습니다. 자신의 몸이 들려주는 소리에 좀 더 귀를 기울이고 집중한다면, 앞으로의 성취는 더욱 빨라질 겁니다.”

“또, 또, 띄워주는 소리.”

에반은 기사단장이 진심으로 감탄해 하는 소리마저 연기의 일부라고 생각해 피식 웃으면서도 그와 마주 예를 취해 인사했다.

그 순간 회장을 박수 소리가 가득 채웠다. 차마 국왕이 있는 자리에서 소리 높여 외치지는 못하고 그저 박수로 감동을 표현하는 것이다.

“정말이지 너무나 대단해…….”

“허어. 개안을 한다는 표현이 무엇인지, 내 오늘 제대로 깨달았네. 저 자그맣고 귀여운 아이가 그런 박력을 보일 수 있을 줄이야, 여태 세상을 헛살았구만.”

“흐, 멋져……!”

“에반 공자님, 절 가지세…… 읍, 읍!”

그래, 감동이라는 표현이 실로 걸맞았다. 아직 작은 소년의 몸에 깃든 강한 힘에 대한 경의와 감동이 좌중을 지배하고 있었다. 남녀를 가리지 않고 모두가 에반에게 사로잡혀버리고 말았다.

“국왕 폐하, 후작 각하, 대련은 이상입니다. 이만하면 충분한 증명이 되었으리라 저는 생각합니다.”

“음, 으으음…….”

“끄응.”

국왕은 그저 침음을 흘렸고, 후작은 인상을 구겼다.

국왕은 도저히 흠을 잡을 구석이 없는 완벽하고 훌륭한 대련을 보며 짜증이 나서, 후작은 자신의 소중한 아들을 던전에 내려보낼 수밖에 없게 된 상황에 절망하여.

그 둘 중 먼저 입을 연 것은 후작이었다.

“하지만 기사단장 자네도 알다시피 던전은 힘만 있다고 통과할 수 있는 것이 아니네.”

"그렇습니다. 그리고 그것을 깨닫기 위해선 던전에 들어갈 수밖에 없습니다. 저는 에반 도련님의 판단력과 행동력이 성인에 밀린다고는 전혀 생각하지 않기 때문에, 도련님께서 일찍 던전을 겪을수록 보다 높이 비상할 수 있으리라 믿어 의심치 않습니다."
"크……."

그것도 또한 맞는 말이다. 던전에 깊숙이 들어갈수록 신은 레벨의 축복과 함께 또 다른 직업과 스킬의 가능성을 제시한다.
그런 직업과 스킬을 어린 나이에 빨리 얻고 숙련할 수만 있다면, 보다 늦게 던전에 들어간 이와 설령 레벨은 같아도 몸에 지니게 되는 강함은 다를 수밖에 없을 것이다.
에반이 어린 나이부터 샤인과 벨루아에게 무기술이며 마력 운용을 익히도록 닦달했던 이유가 괜한 것이 아니었다.

"던전은 도련님을 모든 의미에서 강하게 만들어줄 수 있을 것입니다, 각하."
"굳이 험난한 길을 가려 하지 않아도 충분할 텐데…… 후, 젠장. 어쩔 수 없군."
"아버님!"

드디어 후작이 함락되었다! 라이한에게 치료를 받고 있던 에반이 밝은 표정을 지으며 몸을 앞으로 내미는 그때, 후작이 보다 엄한 얼굴로 선언했다.

"그러나 5층까지다! 던전의 6층부터는 5층까지와는 비교도 할 수 없는 난이도를 자랑하니, 이번엔 5층까지 돌파하는 것만 허락하겠다. 5층을 돌파하고 반드시 돌아와야 한다."

"알겠습니다, 아버님. 5층을 돌파하여 소정의 성과를 올린 후 바로 복귀하겠습니다."

역시나 예상한 대로였다. 에반은 자신을 제외한 세 명의 성장만 놓고 봐도 15층까지는 충분히 가능하지 않을까 생각했지만 지금은 후작의 말에 타협하는 수밖에 없었다.

'기회는 이번만이 아니니까. 다음 생일 때는 10층까지 내려가게 해달라고 해야지.'

에반의 위기는 던전 내부와 던전 외부, 양측으로부터 덮쳐온다. 다만 던전 내부의 사망 신호는 그나마 에반이 통제할 수 있는 것이라면 던전 외부는 완전히 에반의 인지 너머로부터 돌진해오는 것!

그러니 모든 사망 신호를 피해내고 이겨낼 수 있을 만큼 강인해지기 위해, 에반은 어떻게든 던전에서 빨리 강해져야만 하는 것이다!

"하지만 지금 바로 내려갈 생각은 아니겠지? 오늘은 네가 열두 살이 된 날이다. 우선은 먹고 마시고 즐겨라. 그것이 생일을 맞은 네가 응당 누려야 할 일들이다."

"물론입니다, 아버님."

에반은 후작과 대화를 나누고 물러났다. 국왕은 후작 부자의 모습을 보며 한숨을 내쉬었으나, 끝내 어쩔 수 없다는 듯 어깨를 으쓱이고 말았다.

'좋아, 이걸로 사망 신호 회피!'

적어도 왕실과 엮일 일은 없어졌겠지! 에반은 속으로 득의양양한 미소를 지으며 돌아섰다. 모든 것이 계획대로다. 승리의 축배를 들 때가 왔다!

"알코올은 안 됩니다, 도련님."

"……."

"그렇게 노려보셔도 안 됩니다, 도련님."

에반은 입술을 삐죽이며 다인으로부터 과일주스가 담긴 컵을 받아 쥐고 카나페를 집어 들었다. 그런 그의 옆으로 조용히 다가오는 이들의 기척이 느껴졌다.

샤인과 벨루아인가 싶어 돌아보는데, 그곳에는 세레이나

L. 실크라인과 아리샤 폰 펠라티가 있었다. 참고로 세레이나는 이전 에반이 사준 분홍색의 파티 드레스 차림 그대로였다.

"……아니, 왜."

"오빠, 약속 지키러 왔어. 나 강해졌으니까 이제 던전 기사단 할래."

"우연이네. 나도 그거, 해보고 싶은데."

"아니, 왜애애애!"

에반이 과거 잘라내는 데 성공했다고 믿었던 두 개의 사망 신호가 지금, 재차 격렬히 깜박이며 그에게 다가오고 있었다!

❋❋❋

국왕이 셰어든 후작, 펠라티 백작과 함께 자리를 비우는 것을 신호로 삼아 국왕만이 목적이었던 귀족들 중 상당수는 자리를 파하게 되었다.

몇몇 노귀족들은 한적한 정원이나 저택 내부 손님들에게 공개된 응접실 등에서 휴식을 취한다고 나갔으며, 남은 이들은 아직 젊고 쌩쌩한 귀족들과 에반에게 관심이 있는 귀족들 그리고 귀족 자제들, 마지막으로 귀족이 아닌 이들이었다.

즉 신분이 겁나 높으시거나 까다로우시거나 체력이 조금 부족하신 분들은 알아서 퇴장해주셨다는 얘기였다.

"그러면 잠시 무대를 조정하겠습니다. 시끄러워질 수 있지만 양해 바랍니다."

그것이 파티 2부의 시작이었다.

"그러면 좀 더 신나는 곡으로 바꿔볼까요!"
"조명도 조금 더 밝게 해주세요!"

가장 먼저 오늘의 초청 음유시인, 류트걸즈가 제 무대를 찾았다.

안 그래도 에반을 보고 난 이후로 어떻게든 그가 보는 앞에서 좀 더 화려한 활약이 하고 싶어 안달이 나 있던 그녀들은 2부를 위해 준비해두었던 의상으로 갈아입고 보다 빠른 템포의 곡을 연주하기 시작했다.

"느린 곡도 좋았지만 역시 류트걸즈는 이런 곡이 더 맞는다니까!"
"멋지군, 아름다워!"
"이런 좋은 곡에 춤이 빠지면 안 되지. 한 곡 추시겠습니까, 레이디?"

분위기가 삽시간에 바뀌었다. 여기저기서 짝을 찾은 커플이 뻥 뚫린 무대로 나와 즐겁게 춤을 추기 시작했다.

제대로 먹지도 마시지도 못하고 숨죽여 식을 지켜보고 있던 형제약국 직원들도 비로소 자유로운 분위기를 되찾았다.

“라, 라이한 님, 괜찮으시다면 한 곡 어떠세요?”

“어, 이, 이런. 저와 말입니까? 저는 춤이 무척 서투릅니다만 그래도 괜찮으시다면 기꺼이.”

오늘의 선취점은 한나가 올렸다. 미리 언질을 받고 에반이 준비해준 파티 드레스로 갈아입은 한나는 무척이나 아름다웠고, 라이한은 평소와 다른 그녀의 모습에 살짝 볼을 붉히며 그녀의 손을 붙잡고 무대로 나아갔다.

“아, 늦었다아아아!”

그리고 그 직후 옷을 갈아입고 나타난 세르피나가 둘이 무대로 나가는 모습을 보며 절망했다. 에반이 심드렁하게 말했다.

“계속 저 둘이 추는 것도 아닐 텐데, 다음 곡 신청은 누나가 하면 되죠.”

“아니, 저 여자는 자존심도 없어요? 어떻게 여자가 먼저 남자한테 춤을 신청한담?”

“성별이 뭔 상관이고 자존심은 또 뭔 상관이에요, 같이 추고 싶으면 자신이 먼저 나서는 거죠. 그 덕에 처음을 쟁취했잖아요?"

"크으으으……!"

물론 세르피나도 알고 있으리라. 그저 처음을 놓친 것이 분해 아무 말이나 하고 있을 뿐. 에반은 억울해하며 구두로 바닥을 구르는 세르피나에게 히죽 웃어주고 쿠키를 집어 먹었다.

그런데 그때, 그의 어깨 위에 고운 손이 얹어졌다. 세레이나였다.

"에반 오빠, 그럼 나도 오빠랑 춤출래."

"아……."

제 무덤을 판 격이었다는 사실을 에반은 뒤늦게 깨달았다. 그는 구해달라는 의도를 담아 세르피나를 올려보았으나 그녀는 방금 에반이 그러했듯 히죽히죽 웃고 있었다.

"공주님한테 댄스 신청도 받으시고 역시 에반 공자님이시라니까. 설마 여자 쪽에서 용기를 냈는데 거절하진 않으실 거죠? 여자의 마음은 섬세하다고요."

"에반 오빠는 거절 못 해. 내 유리알같이 섬세한 마음을 강철 같은 권력이 보호해주고 있으니까."

"진짜 하나하나 권력 들이대는 거 비겁하다고 생각하지 않습니까!?"

"가자, 오빠!"

에반은 그의 의사도 듣지 않고 손을 잡아끄는 공주의 모습에 어이가 없었으나, 물론 정말로 그녀를 거절할 생각은 없었다.

왜냐? 그는 이미 성공적으로 던전 기사단장이 될 것을 천명했으니까!

'국왕이 미치지 않은 이상 던전도시에 속박될 내게 공주를 보낼 리가 없지. 공주가 던전 기사단이 되겠다는 말도 안 되는 헛소리를 한들 그걸 들어줄 리도 없고.'

에반은 조금 전 세레이나와 아리샤가 동시에 자신에게 다가와 던전 기사단이 되고 싶다고 한 순간을 떠올리며 몸을 부르르 떨었다.

아직 자원은 받고 있지 않다는 말로 일단 둘 다 간신히 물렸지만, 이전에도 한 번 의사를 밝혔던 세레이나는 그렇다 치고 아리샤는 대체 어째서 펠라티도 아닌 셰어든의 던전 기사단원이 되겠단 말인가?

그는 뒤를 돌아보았다. 아까 자신에게 선언한 이래 세레이나와 함께 그의 주위에 머무르고 있던 아리샤가 여전히 그를 빤히 바라보고 있었다. 도저히 속내를 알 수가 없었다.

'좋아…… 좋아하는 건 아닌 것 같지?'

아닐 것이다. 다만 어떤 식으로든 에반에게 흥미를 품은 것은 사실인 듯해 보였다. 에반이 몸을 부르르 떨자 아리샤는 고개를 갸웃했다. 그야 자신과 눈을 마주쳐놓고 에반과 같은 태도를 취하면 이상하게 여기기도 할 것이다.

그는 다급히 그녀에게서 시선을 떼어냈다. 그것을 눈치챈 세레이나가 꺄르륵 웃으며 말했다.

"에반 오빠는 진짜 인기 많네. 오빠 옆에 있으면 예쁘고 멋진 사람들을 많이 볼 수 있어서 좋아. 재는 이름이 뭐야?"

"아리샤 폰 펠라티, 마도국에 있는 던전도시를 다스리는 가문의 영애입니다. 저도 딱 한 번 만난 적 있는, 거의 모르는 사람이에요."

"그렇구나. 그럼 됐어, 이제 춤추자."

둘이 무대 중앙으로 나아가자 먼저 춤을 추고 있던 커플들이 알아서 자리를 내주었다. 오늘의 주역이 누구인지 알고 있으니 당연한 일이었다.

"이봐, 정말로 둘이 손잡고 나왔어."

"확실하다니까."

"그런데 던전 기사단장이 될 에반 공자한테…… 허어, 뭐지?"

여기저기서 속닥이는 소리가 들려왔지만 공주는 그것을 전혀 신경 쓰지 않고 에반에게 손을 내밀었다.

에반은 쓴웃음을 지으며 그녀의 손을 부드럽게 붙잡고, 그녀의 자세를 교정해주었다. 세레이나가 맑게 웃었다.

"그래요, 춤이나 추죠, 뭐."

"응!"

한 명은 왕족이고, 다른 한 명은 후작가의 자제였기에 예법은 완벽했다.

요마대전 세상의 커플댄스는 지구에서 춤이 그러했듯 더없이 귀족적인 것과 보다 서민적인 것이 있었는데, 시대가 바뀌며 템포가 빠른 곡이 인기를 끌다 보니 귀족들 또한 서민의 춤을 참고하여 새로운 예법을 만들어냈다.

4분의 3박자에 맞춰 파트너와 함께 원을 그리며 움직이는 빠르고 경쾌한, 현대에서 부르듯 왈츠라고 부르는 그 춤은 실크라인의 귀족이라면, 특히 젊은 귀족이라면 누구나가 익혀야 할 예법이 되었다.

"에반 공자가 세레이나 왕녀와 춤을 추고 있어."

"둘이 정말 잘 어울리는데그래. 춤도 잘 추는군."

"에반 공자는 어린 나이에 몸을 단련해서 그런지 춤도 박력이 넘치네. 조금만 더 나이를 먹으면 정말 멋져지겠어."

에반과 세레이나는 무대를 종횡무진하며 즐겁게 춤을 추었다.

평소 에반이 세레이나와 엮이는 것을 좋아하지 않는다고는 하나, 그녀 자체를 싫어하는 것은 아니다.

볼이 상기된 채, 두 갈래로 나눠 묶은 분홍 머리카락을 깡총거리며 열심히 자신의 리드에 맞춰 따라오는 그녀의 모습이 더할 나위 없이 사랑스러워 에반의 입가에도 절로 미소가 맺혔다.

"지렁이랑 노는 것처럼 즐거워!"

[꾸, 꾸웃!]

"……."

슬라임 루비가 턴을 하는 와중에도 세레이나의 어깨에서 떨어지지 않고 달라붙어 있는 것이 조금 신기했지만 에반은 거기에는 굳이 태클을 걸지 않기로 했다.

곧 곡이 끝나고, 멋진 왈츠를 선보인 둘에게 환호가 쏟아졌다. 에반 스스로 생각해도 제법 잘 춘 것 같았다. 역시 격투술을 익힌 보람이 있었던 것일까!

"으음, 한 곡 더!"

"어쩔 수 없지."

워낙 기분이 좋아서였을까, 에반은 평소였다면 단연코 거절했을 세레이나의 재청에 흔쾌히 고개를 끄덕이며 다시 그녀와 함께 스테이지를 달궜다.

이번엔 보다 빠르게, 연주자들과 함께 호흡을 맞춘 것처럼 경쾌하게! 어느덧 한나로부터 세르피나로 파트너를 바꾼 라이한도 그들을 따라 어설프게나마 춤을 추고 있었다. 그것이 사뭇 유쾌했다.

"한 곡 더!"

"……또요?"

"하지만 지렁이랑 노는 것보다 즐거운걸."

"지렁이보다? 그럼 어쩔 수 없지……."

"에헤, 오빠 너무 좋아!"

지렁이랑 노는 것보다 즐겁다는데 감히 그걸 에반이 멈출 수 있겠는가. 그는 그로부터 세 곡이나 더 공주에게 맞춰 춤을 추어야 했다.

그나마 간신히 풀려나게 된 것도 때마침 파티 회장 한편에서 꼬치 바베큐가 시작된 덕이었다.

"저건 뭐지?"

"어, 저 남자 어디서 본 것 같은데…… 그래, 시내에서 꼬치구이점을 열고 있는 남자가 아닌가."

가장 먼저 등장한 것은 바로 큼직한 화로와 철판이었다.

뒤이어 흉악한 인상의 중년 남자, 꼬치구이점 주인장이 하녀들의 보조를 받으며 엉거주춤 나타나 파티장 한구석에 자리를 잡고 화로에 불을 붙였다.

"저, 정말 이런 곳에서 꼬치나 굽고 있어도 괜찮은 거요?"

"물론이죠. 다들 좋아할 겁니다."

아직까지 걱정을 숨기지 못하는 주인장에게 밝은 미소로 대답해준 하녀는 테이블과 식기를 정리하고 테이블보를 탁탁 펼쳐 바깥으로 내걸었다. 그 위엔 '형제꼬치'라는 글자가 자랑스럽게 쓰여 있었다.

"꼬치……."

"형제꼬치?"

춤곡도 여러 순번이 돌아 슬슬 사람들의 배가 고파질 즈음. 파티회장에도 물론 많은 요리가 준비되어 있었지만 이미 조금씩 식어가는 것은 어찌 구할 도리가 없다.

그런 상황에 믿음직한 주인장이 나타나 큼지막한 고기에 소스를 발라, 꼬치에 끼워 굽기 시작했으니 사람들의 시선이 향하지 않을 수 있겠는가!

"저거 몬스터 고기인 거지……?"

"자네 몬스터 고기 아직 못 먹어봤나? 품질이 좋은 것을 잘만 조리하면 티본스테이크는 감히 댈 것도 못 되는 수준이라네."

"허어, 정말인가? 하지만 위험하지 않은가……."

"후작가에서 인가를 받지도 않은 요리사를 내보냈을 리가 없지."

꼬치를 구워 향긋한 냄새가 퍼지기 시작하자 사람들의 시선이 절로 그곳으로 향했다. 물론 세레이나도 마찬가지였다. 그녀는 침을 꼴깍 삼키며 말했다.

"으으음, 오늘 오빠한테는 예쁜 모습만 보여주려고 했는데…… 그래도 난 먹는 모습도 예쁘니까 괜찮겠지?"

"그 말은 보통 스스로 말하는 시점에서 아웃인데…… 알았어요, 예뻐요. 됐죠?"

"응, 그럼 먹으러 가자!"

사실은 에반 역시 형제꼬치 시식 첫 타자를 자신이 끊으려 마음먹고 있던 차였다. 그래야 다른 귀족들도 스스럼없이 다가와 먹을 수 있을 테니까.

둘이 주인장에게로 다가가자 역시나, 다른 귀족들도 슬금슬금 이동해 오는 것이 보였다.

"이거 정말 잘 되는 거 맞수, 도련님?"
"오늘 꼬치 잘 구워진 거 같아?"
"그건 내가 장담할 수 있수."
"그러면 됐어. 잘 먹을게."

에반은 세레이나와 함께 꼬치 하나씩을 받아 들어 물었다. 오늘을 위해 특별히 납품한 엘리트 오크 고기와 다크 맨티스 고기가 차례대로 씹히며 그의 입안에서 소스와 함께 어우러졌다!

"맛있어!"

에반을 대신해 세레이나가 두 눈을 반짝이며 외쳤다. 그녀의 분홍색 눈 안에서 정말로 별이 반짝이는 것 같았다. 그녀가 말한 대로, 그녀는 정말 먹는 모습마저 예쁘고 사랑스러웠다.

"이거 엄청 맛있어."
"그쵸?"
"응, 무지 맛있어."

세레이나는 입가에 소스를 묻혀가며 허겁지겁 그것을 먹어치웠다. 무척 귀여웠지만 품격은 없었다.

에반은 손수건을 꺼내 그녀의 입가를 닦아주며 주인장에게 입이 작은 사람들을 위해 보다 작은 사이즈의 꼬치도 구울 것을 당부했다.

"이건 큼직하게 베어 먹어야 제맛인데……."
"일단은 맛을 알리는 데서부터 시작하는 거야. 다들 공주님처럼 털털한 성격이리라곤 장담할 수 없는 거거든."
"크흠, 나도 하나 부탁할 수 있겠나?"
"격식 있는 자리에는 어울리지 않지만, 향기 하나는 일품인 듯 보이는데그래. 나도 하나 받지."

화려한 불꽃, 지글지글 익어가는 고기, 불에 타는 소스와 고기의 향기. 정말이지 격식 있는 자리에 내놓을 만한 것이 아니었지만 활기가 지배하는 이 회장에는 더할 나위 없이 어울렸다.

"허어, 정말 맛있는데. 이건…… 허, 흐으음. 서민의 요리라고 얕볼 게 아니군그래."
"단가가 제법 있어 서민은 이런 거 못 먹는다네. 정확히는 던전에 들어가는 자들을 위한 요리지. 그것을 이렇게 맛볼 수 있게 됐으니 썩 즐거운데."

맛이 있으면 통한다는 것은 진리다. 일단 귀족들이 '천박하다'는 표현을 하지 않은 것만으로도 그들이 몬스터 고기 꼬치를 얼마나 긍정적으로 생각하고 있는지 증명된 것이라고 볼 수 있었다.

에반은 그들을 보며 형제꼬치의 성공 가능성을 긍정적으로 점칠 수 있었다.

"우리도 부탁합니다."

"오늘은 공짜로 먹을 수 있는 건가? 역시 후작가야!"

"이 고기, 우리가 후작가에 납품한 거지? 어쩐지 후작가에서 웬일로 몬스터 고기를 구하나 했는데 그런 이유였군."

한편 원래부터 몬스터 고기에 거부감이 없는 전투 길드 사람들은 기다리고 있었다는 듯이 다가와 꼬치를 집었다.

에반에게 있어서는 그들의 반응도 고마울 따름이었다. 그로써 보다 많은 귀족을 이끌어 올 수 있을 테니까.

"안녕하세요, 에반 공자님."

그런데 그중 한 명, 젊은 남자가 에반에게 다가왔다.

그는 에반이 익히 알고 있는 사람이었다. 개인적으로가 아닌, 요마대전 3의 플레이어로서.

그의 뇌리에서 하나의 스위치가 켜지는 순간이었다.

"천둥새 길드의 제니엔, 맞죠?"

"오, 알고 계셨다니 영광입니다. 저희 천둥새 길드가 좋게 말하면 소수 정예지만 나쁘게 말하면 그냥 인력 부족이라 아는 사람만 알고 모르는 사람은 모르는……."

"싫어요."

"그런데 공자님께서 저희를 알고 계신다니 이건…… 네?"

"싫다고요."

뭔 얘기를 해보기도 전에 대뜸 싫다는 말을 먼저 하는 에반을 보며 천둥새 길드의 서브 마스터 ―지금 시점엔 그랬다― 제니엔은 두 눈을 깜박였다.

에반은 그런 제니엔을 보며 코웃음을 치고는, 주인장으로부터 두 개째의 꼬치를 받아 쥐며 확고하게 선언했다.

"라이한 형을 영입하러 온 거잖아요. 주기 싫다고요."

천둥새 길드의 길드 마스터 제니엔.

인재를 알아보는 눈 하나는 귀신같아, 요마대전 3 초기에 주인공의 재능을 알아보고 덤벼드는 3대 거두 ―나머지 둘은 셰어든 가의 2부인과 아리샤 폰 펠라티였다― 중 한 명.

"어라, 제가 무슨 말씀을 드렸었나요? 어떻게……."

"다시 말하지만, 제 대답은 No예요."

주인공의 재능을 알아보고 투자하는 것은 다른 둘과 같으나, 그를 선택하게 되면 2부인을 선택하는 것보다 더욱 끔찍한 결말이 플레이어를 기다린다.

괜히 3대 거두 중 유일한 양심, 아리샤가 메인 히로인이라 불리는 게 아닌 것이다.

"내 사람은 다른 어디에도 안 줘요. 형은 내 겁니다. 그러니까 얌전히 포기하고, 돌아가세요."

"……이거, 속내가 빤히 꿰뚫린 느낌이구만. 예이예이, 거참 욕심쟁이셔. 품지도 못할 것 같은데……."

제니엔은 비굴한 미소를 거두고 제 머리를 긁적이더니, 떠꺼운 표정을 감추지 않으며 대충 고개를 꾸벅이곤 물러섰다.

그래, 그것이 던전 탐험가의 본성이다. 자신에게 힘이 있기에 결코 귀족에게도 먼저 굽히지 않는 것이다. 그들이 굽힐 땐 뭔가 원하는 것이 있을 때뿐. 그러니 경계하지 않을 수 있겠는가.

'특히나 전세가 불리하다 싶으니 대뜸 요마왕 측에 붙어버리는 너 같은 놈은 말이지…….'

에반이 직접 작성한 설정집 중에서도 가장 많은 부분을 차지하는 요주의 인물, 그중에서도…… 필히 경계하고 주시하며, 필요시에 처단까지도 서슴지 않아야 할 인물들.

'던전도시의 배신자들.'

비록 아직 다가오지도 않은 미래라고는 하나…… 그들에게도 미리부터 주의를 기울여야 할지도 모르겠다. 그렇게 생각하며 꼬치를 물어뜯는 그의 곁에 어느덧 다가오는 이들이 있었다.

"캬, 제니엔 그놈을 말 한 마디로 물리쳐버리네!"
"저놈은 본성을 못 감출 거라 내가 그랬잖아. 주인장, 우리도 꼬치 하나씩만 주쇼!"
"반갑습니다, 에반 공자님. 우리 오며 가며 얼굴은 봤지? 목욕탕 말고 여기서 보니 아주 신수가 훤하시구먼, 아까 보고 심장 멎는 줄 알았다니까!"

에반은 자신 곁으로 다가오며 친근한 체 말을 걸어오는 몇 명인가의 사람들을 보며 한숨을 내쉬고 말았다. 좋은 의미로든, 나쁜 의미로든 경계해야 할 사람들이 이곳에 우글거리고 있었다.
후작은 그에게 생일을 즐기라고 했지만, 아무래도 오늘 밤은 제법 바빠질 모양이었다.

"낙원유랑의 앨런입니다. 정식으로 인사드리긴 처음이지?"
"마찬가지, 낙원유랑의 데이지. 이쪽 사람이 될 줄 알았으면 진즉 아는 체했을 텐데."

던전도시가 흥하든, 망하든, 그 어떤 적이 나타나든지 간에 끝까지 주인공과 함께 던전도시를 지켜내려 노력하는 의리파 중의 의리파.

천둥새 길드와 마찬가지로 소수 정예를 지향하는 길드 낙원유랑의 마스터와 서브 마스터.

"피닉스 길드, 엘로아 폰 시르페."
"히트실드의 서브 마스터, 미라라고 합니다. 원래 마스터를 데려왔어야 했는데 그 양반이 어제 술 처마시고 꼴아…… 크흠. 몸이 안 좋아서, 나오지 못했습니다."

언제나 냉엄한 표정을 짓고 있어 얼음마녀라는 별명으로 불리지만 던전도시에 위기가 오면 항상 앞장서서 마법을 펼치는 마도사, 피닉스 길드의 마스터 엘로아 폰 시르페—지금은 평단원인 듯했다—.

길드원 전원이 탱커 역할을 수행하는 방패기사직으로 구성되어, 던전 공략을 위해 다른 길드와 활발하게 연합하여 활동하고 있는 히트실드 길드, 그 얼굴마담 역할을 수행하는 서브 마스터 미라.

"벨로드 폰 살타, 에버그린에서 왔습니다. 목욕탕에서 뵌 것 같은데."

"메가마인 길드의 셀라인 아니스입니다. 부디 기억해주시길."

그런가 하면 에버그린과 메가마인, 이 두 길드는 요마왕 군세가 강성해지자 곧장 인류를 배신하고 돌아선 배신자 집단이었다. 물론 지금 시점에선 그들을 추궁하거나 벌할 어떤 근거도 없었지만.

"후오, 정말 얼굴에서 빛이 나시는구만, 빛이!"

"제 인사도 받아주시겠습니까? 향후 던전 기사단장으로 활약하신다면 반드시 저희와도 협력하게 되실 겁니다."

에반은 제니엔을 물리치는 것을 시작으로 점점 자신에게 밀려오는 각 전투 길드의 탐험가들과 정신없이 인사를 나누는 꼴이 되었다.

그는 나중에 던전도시의 적이 되는 자들을 보고 내색하지 않으려 애쓰며 일단 주의만 해두기로 했다. 이들 중에는 지금 시점에서부터 이미 잘못을 저지르고 있는 자들도 있었지만, 그렇지만…….

'어차피 그런 길드로 그런 종자들이 전부 몰리는 법. 지금

애써 이들을 자극해 터트려봐야 그 종자들이 다른 길드로 퍼질 뿐이야.'

후작가의 힘을 빌리든, 던전 기사단의 힘을 키워 직접 관리하든 자신이 이들을 중점적으로 마크한다면 분명 피해를 보지 않고 잘라낼 수 있는 시기가 오리라.

에반이 그런 흉험한 뜻을 품고 있는 줄도 모르고, 탐험가들은 천사 같은 외모의 소년과 인사를 나누며 마냥 즐거워했다. 그가 자신들과 같은 길을 걷게 된다는 사실이 기뻤던 것이다.

"격투술은 역시 그 기사단장한테 배우신 겁니까?"

"네. 기사단장이 던전에서 신의 축복을 받아 익힌 것인데, 제게도 알려주시더군요."

"역시 던전에서 얻은 게 맞네. 그런데 그 정도로 고위 기술이면 그냥 배운다고 배워지는 것도 아니지 않아?"

"애초에 고위 격투술이 알려진 게 오늘이 처음이잖아. 그건 조금만 발전하면 진짜 실전에 써먹을 수 있겠던데. 리치 문제만 어떻게 해결하면."

탐험가 중에는 순수한 무인 성향의 인물들도 많았고, 그런 이들은 에반이 기사단장을 상대로 보인 투지에 감명을 받아 그쪽으로 여러 질문을 던져오기도 했다.

"공자님은 진짜 격투술로 몬스터를 상대하실 겁니까? 그건 정말 위험한 일인데요."

"아뇨, 저도 격투술이 던전에서 큰 도움이 되지 않는다는 건 알고 있습니다. 이건 그냥 호신술에 불과하죠. 저는 던전의 다양한 상황에서 기사단을 보조하기 위한 기술을 연마하고 있습니다. 이번에 그중 몇 가지를 던전에서 시험해볼 생각입니다."

"오, 오오오오. 달라. 이 도련님 진짜 던전에 대해 좀 조사를 했나 본데."

"실례야, 앨런."

"에반 공자님은……."

파티라도 열린 것처럼 에반 주위로 고위 탐험가들이 몰려들어, 술 한 잔 꼬치 하나 들고 웅성이던 그때. 누군가 그에게 물어왔다.

"던전의 끝을 보고 싶습니까?"

왁자지껄 떠들던 탐험가들이 아주 조금, 조용해졌다. 그야 그럴 것이다. 이들은 전부 어떤 식으로든 던전의 끝을 보고 싶어 내달리고 있는 이들이었으니까.

그리고 그것은 향후 인류의 배신자가 되는 이들이라고 해도 그리 다르지 않을 것이다. 적어도 그런 열망이 없고선 후작가의 파티에 초대될 만큼 대단한 위치에까지 오를 수는 없었으리라.

"던전 기사단은 던전의 위협으로부터 도시를 지키기 위해 창설되는 기사단입니다. 우리의 목표가 이미 정해져 있으니, 거기에 다른 목표를 더할 틈이 없습니다."

에반은 피식 웃곤 답했다. 그에게 질문을 던진 자는 조금 실망한 것처럼 보였으나 에반은 전혀 신경 쓰지 않았다.

"물론 사람을 지키기 위한 힘을 얻기 위해 던전은 최대한 돌파할 생각이지만요. 끝에 집착하는 마음은 없습니다."
"그렇……군요."
"패기 넘치는 도련님이시라면 당연히 던전의 끝을 보고야 말겠다고 말씀하실 줄 알았는데."

던전의 끝? 그거 뭐 별거라고. 준비만 철저히 한다면 누구나가 볼 수 있다. 전생에서는 요마대전 3에서도 4에서도 질리도록 봤다.
단지 그 끝에는 언제나 에반이 없었다. 넘쳐나는 사망 신호와 함께 익사해버리고 말았다.

'내가 죽어야만 볼 수 있는 끝이라면, 그런 건 볼 필요도

없어.'

부디 던전의 끝을 보고 싶은 분들끼리 알아서 봐주시길 간절히 바랄 뿐이다. 하는 김에 요마왕까지 처치해주면 좋고. 에반은 그리 생각하며 어깨를 으쓱였다.

"적어도 제 목숨 아낄 줄은 아는 것처럼 보이니 다행이구나."

그런 그때였다. 탐험가들의 열기가 조금 식은 틈을 타 그들을 제치고 앞으로 튀어나오는 이가 있었다.

에반보다 조금 나이가 많은 것처럼 보이는 소년. 기품 있게 옷을 차려입고, 차분하게 가라앉은 금발에 고위 귀족의 상징인 보랏빛 눈을 반짝이고 있었다.

바로 이 나라의 1왕자 데미안 L. 실크라인이었다. 국왕을 따라간 줄 알았는데 아직 회장에 남아있었던 것이다.

"1왕자 데미안이다."
"만나 뵙게 되어 영광입니다, 전하."
"전혀 영광인 것처럼 보이지 않는데."

왕자는 에반의 말에 퉁명스레 대꾸하곤 그의 옆에서 여전히 꼬치를 오물거리고 있는 세레이나를 보았다. 세레이나는 오빠의 시선을 받으며 고개를 갸웃하더니 제 손에 들고 있던 꼬치를 내밀었다.

"큰오빠도 먹을래?"
"난 되었다. ……아니, 그래, 하나만 받자."
"응."

왕자는 동생의 성의를 차마 거절할 수 없었는지 그것을 받아 쥐곤 못마땅한 표정으로 베어 물었다. 이내 그 맛에 놀란 듯 두 눈이 커졌으나 곧 애써 표정을 가라앉혔다.

그는 큼큼, 헛기침을 하곤 꼬치를 옆에 내려두며 입을 열었다.

"에반 디 셰어든, 네놈에게 명이 있다."
"하명하시지요."
"네 목숨을 아끼듯 그렇게 내 여동생을 지켜라."
"싫습니다."

에반은 1왕자의 말이 떨어지는 순간 얼굴색 하나 변하지 않고 즉답했다. 명을 내린 왕자가 되레 놀랄 지경이었으나 에반은 침착하고도 단호하게 말을 이었다.

"스스로를 지키는 것은 우선적으로 자신의 몫입니다. 그것이 되지 않을 경우 대신해 지켜주는 것이 가족입니다. 그러나 저는 공주님의 그 무엇도 아닙니다."

"넌 세레이나와 결혼하게 될 것이다. 그러니 가족이지."

"전 공주님과 결혼하지 않습니다."

"나 에반 오빠랑 결혼해!?"

왕자 데미안은 에반의 즉답에, 그것보다도 공주가 놀라 외치는 것에 제 이마를 짚었다. 그런 왕자에게 에반이 냉정하게 말했다.

"저는 던전 기사단장이 됩니다. 저와 결혼한다는 것은 저와 함께 이 도시에 속박된다는 뜻. 그러니 최소한 그 정도 결의를 하지 않는 이상, 제 배필이 될 수는 없습니다. 하물며 이 나라의 공주님을 신부로 데려올 수는 없는 노릇이지요."

"우리 세레이나가 싫으냐?"

"제 개인적인 취향에 대해 논하는 자리는 아닌 줄로 압니다."

"큰오빠, 나 에반 오빠랑 같이 던전 기사단 할 거다!"

[뀨우웃!]

에반의 말만 듣고도 충분히 머리가 아픈데 거기에 가끔씩 끼얹어지는 공주의 말이 왕자에게 극심한 두통을 유발했다.

기사단에 의해 지켜져야 할 공주가 기사단을 왜 해. 하물며 던전 기사단이라니 이건 또 뭔 헛소리야.

"이 말도 안 되는 생각은 네놈이 직접 주입한 거냐?"

"차라리 그런 거였으면 낫겠네요. 공주님이 억지를 부리는 일 없게 전하께서 부디 잘 타일러주시기 바랍니다."

"왜, 나 강해지면 기사단 시켜준다며?"

[끄끄읏!]

에반의 말에 불만을 갖고 따지는 세레이나와 루비. 에반은 코웃음을 치며 대꾸했다. 이 망상벽 사차원 소녀의 꿈을 꺾으려면 지금이다!

"아직 부족해요. 훨씬 더 많이 강해져야 됩니다, 공주님. 던전 기사단이라는 게 보통 엘리트 집단이 아니거든요. 자기 자신을 지킬 수 있는 정도로는 부족하죠."

"큥, 아직도 부족해? 그렇구나. 그렇게 멋지고 애달프게 헤어졌으니까 오빠랑 재회할 때가 되면 없던 능력도 생겨나있을 줄 알았는데, 현실은 소설과 달리 냉혹한 법이구나……."

왕자는 에반과 세레이나의 대화를 멍청한 표정으로 바라보다가는, 끝내 입술을 꾹 다물었다가 떼었다. 그 입에서 청천벽력 같은 선언이 떨어졌다.

"에반 디 셰어든, 결투다."

"아니, 싫은데요."

"이 결투에 지면 네놈은 내 동생을 신부로 받아들여라."
"사람 말을 좀 들으세요! 던전 기사단장이 될 거라서 무리라니까!"
"명령이다, 나와 결투해라!"

남매 나란히 억지를 부리며 명령권을 들이대는 것이 아주 똑같았다. 머리 색, 눈 색은 달라도 남매라는 걸 단박에 납득시켜주네, 그냥!
에반은 오빠의 결투 신청에 오오, 생각 없이 박수를 치고 있는 공주를 보며 한숨을 내쉬었다. 역시 그녀와 엮인 순간부터 에반의 인생에는 사망 신호 깜빡이가 하나 켜진 것이었다……!

'데미안 왕자가 능력이 어땠더라.'

이 녀석은 분명 요마대전 3에도 능력이 살짝 나왔었는데.
아, 그래, 기억났다.
데미안 왕자는 특이하게도 왕자라는 직위에는 다소 매치되지 않는 것처럼 보이는 대형 병기, 거대 망치에 적성이 있었는데, 그것으로 호쾌하게 대지를 내려찍어 대지는 물론이고 적군과 가정과 사회까지 함께 무너트리는 끔찍한 광역기가 특징이었다.
제법 강했고, 제법 쓸 만했다. 특수 국면에서도 이 녀석 하나 있으면 돌파가 가능한 경우가 있어 레귤러 중에서도 제법 인기가 있었다. 물론 샤인이나 벨루아에는 절대 비할 바가 못 되지만.

'그런데…….'

에반은 힐끗 왕자를 살폈다. 결투를 하자면서 검을 뽑아 들고 있는 것을 보니 이전 왕과 만났을 때 그가 했던 말이 떠올랐다.

한 놈은 책에, 한 놈은 검에 매진한다. 아무래도 검에 매진한다는 그 한 놈이 저놈 같았다.

'그렇다는 건 제 적성이 아니라는 뜻이겠지. 적성이 있어도 그저 그런 수준이라는 얘기고.'

그렇다면, 아무리 왕자가 차후 레귤러로 성장한다 해도 지금 그와 싸워 에반이 질 것 같지는 않았다. 조금 떨어진 곳에 있던 왕자의 호위기사들이 안절부절못하고 있는 것이 그 증거였다.

아마도 지금 왕자는 그리 강하지 않다! 계산기를 두드려본 에반은 표정을 바꾸어 앞으로 나섰다.

"……알겠습니다, 받아들이죠. 대신 제가 이기면 앞으로 왕자님은 제게 그 무엇도 요구하지 못하십니다. 다시는."

"허, 자신이 있나 보구나. 아까 그 시연을 믿고 이러는 것이라면 난 속지 않았다는 걸 먼저 말해두지. 그 기사단장이라는 녀석과 사전에 모의를 했을 뿐이잖아?"
"헛."

왕자가 그 말을 한 순간, 사방이 얼어붙었다. 에반은 왕자가 그 박진감 넘치는 연극을 꿰뚫어 보았다는 사실에 놀랐다면, 다른 이들은 그 대련을 연극이라고 판단한 왕자의 병신력에 놀랐다.

"저거 완전 바보…… 흡!"
"왕자야, 왕자! 그것도 1왕자, 이 나라 차기 왕!"
"아니, 아무리 그래도 그렇지. 그걸 못 알아보…… 흡!"
"야, 다 닥쳐! 조용히 해!"

탐험가들이 수군거리며 뒤로 물러나 공간을 확보했다. 꼬치구이점 주인장만 신나서 꼬치를 구웠다. 원래 구경거리가 있으면 사람들은 더 간식을 찾는 법이 아니던가!

'설마 연극을 알아볼 정도의 실력가인 줄은 몰랐는데, 역시 레귤러라서 뭐가 다른 건가? 아니, 그래도 다른 사람들은 다 속았는데…… 끙, 지금이라도 물러나야 되나?'

에반은 심각하게 고뇌했으나 이미 물리는 게 통할 시점이 아니었다. 결국 그는 결투에 지게 되면 왕자가 강제로 결투를 요구했다며 후작에게 울고 매달리기로 작정하며 무대로 나왔다.

"승부는 단판이다! 일격에 끝내주지!"
"부디 급소는 피해주세요."

여기서 까딱 칼이라도 잘못 맞아 죽게 되면 원혼이 되어 공주에게 들러붙어 주리라. 에반은 다짐하며 두 주먹을 쥐었다.

"그러면…… 결투 개시!"

왕자가 자신한 대로 승부는 일격에 끝났다.
왕자가 에반의 일격에 쓰러졌기 때문이었다.

"어……."

에반은 당황했다. 기사단장의 연극을 꿰뚫어 볼 만큼의 기재라 자신도 최대한 전력을 다해 일격을 뻗어냈는데, 왕자가 허수아비처럼 가만히 있어 아무리 그래도 왕자의 얼굴에 상처를 내면 곤란하겠지 싶어 마지막 순간 방향을 틀어 스치기만 했는데…….

스치기만 했는데 왕자가 쓰러진 것이다! 전에도 한 번 이런 적이 있었는데!

"어, 어어?"
"에반 공자 좀 봐, 진짜 놀랐나 봐."
"상대가 예상보다 너무 약해서 놀라고 있어……."
"저 왕자님, 공격이 오는 줄도 모르고 그냥 맞아서 기절했어……."
"반응도 제대로 못 하고, 풉. 아, 아냐. 난 안 웃었어. 지나가던 고양이가 웃었습니다, 기사님!"

에반은 당황하며 왕자에게 달려갔다. 애초에 그가 마지막 순간 힘을 빼고 방향을 튼 덕에 외상은 크지 않았지만, 천중이라는 기술의 특성상 주먹 주위를 휘돌던 무거운 기운이 남아있어 그것이 왕자에게 내상을 준 듯했다.

"아무리 그래도 그냥 스치기만 했는데……."
"에반 공자님, 물론 에반 공자님이 특출난 것도 있으시지만, 1왕자님이, 그…… 약하십니다."

호위기사 중 한 명이 다가와 에반의 귓가에 대고 속삭였다. 그 말을 듣는 에반은 바보가 된 심정이었다.
아니, 기사단장의 연극을 꿰뚫어 볼 만큼 강자가 아니었단 말인가!? 아무리 그래도 제 적성을 못 찾은 정도로 이렇게나 약할 수 있단 말인가? 그는 혼란에 빠졌다.

"사제, 사제는?"
"아, 제가 할게요."

왕실에서 데려온 사제가 혹시나 모를 부상을 치료하기 위해 대기하고 있었지만 세르피나가 나서 왕자를 깨워냈다. 주교보좌의 신분으로 뛰어난 치유술을 펼치는 그녀를 보며 좌중은 다시 한 번 감탄했다.

"던전도시에는 정말 인재가 많구나. 주교보좌가 저 정도면 주교 본인은 대체?"
"온 세상의 강자가 던전도시로 모인다더니 그게 사실이었어."
"커헉!"

때마침 왕자가 거친 숨을 토해내며 일어섰다. 그는 자신을 바라보며 걱정스러움과 어이없음이 반반 섞인 표정을 짓고 있는 에반을 마주 보며 큭, 입술을 짓씹었다.
그리곤 마지못해 이렇게 내뱉었다.

"이, 이만하면…… 내 여동생을 맡길 수 있겠어."

"아니, 안 맡는다니까요. 제가 이기면 그 무엇도 요구하지 못하신다고 이미 약속하시지 않으셨습니까."

물론 에반은 얼렁뚱땅 왕자의 말에 고개를 끄덕이는 우를 범하지 않았다. 그러나 어째선지 왕자는 그 부분에서 우쭐대는 표정을 지어 보였다.

"흥, 나는 더 이상 요구하지 않겠다. 하지만 네가 우리 여동생을 이겨낼 수 있을까? 아바마마조차 이겨내지 못하는 그 똥고집을?"

"아니, 가족이시면 좀 막아 봐요."

"후후후, 자랑은 아니지만 나와 아바마마는 녀석을 못 막는다!"

정말이지 자랑이 아닌데 어째서 저렇게 자신만만하게 웃을 수 있단 말인가. 그러나 어쨌든 앞으로 자기 입으로 동생을 데려가라고 주장하진 않을 것 같아 다행이었다.

에반은 안도의 한숨을 내쉰 후, 역시나 말해야겠다 싶었던 얘기를 하기로 했다. 그는 다른 사람이 듣지 못하도록 왕자에게 가까이 다가가 조그만 목소리로 말했다.

"전하, 한 가지 드리고 싶은 말씀이 있습니다."

"해봐라."

"……전하에겐 검이 어울리지 않습니다."
"크헉!"

에반의 단호한 말에 왕자는 급소를 맞은 것처럼 허리를 구부리고 괴로워했다. 그들을 보던 이들이 대체 무슨 말을 한 건지 궁금해할 만큼 완벽하게 들어간 클린 히트!

"어울리지 않는 무기를 고집하는 것은 스스로에게 독이 됩니다. 무기를 수련하는 데에 뜻이 있으시다면, 다른 무기를 잡아보시는 건 어떨까요."
"하, 하지만 난 왕이 될 몸이다. 검이야말로 제왕의 무기다."
"검은 그냥 편한 무기 중 하나일 뿐입니다. 제왕이 들면 제왕의 무기가 되고, 거지가 들면 거지의 무기가 되는 것이지요. 사물에 쓸데없이 의미를 부여하여 전하 스스로를 괴롭힐 필요는 없습니다."
"……."

아, 아마 적중인 모양이었다. 하긴 본래 귀족들에게 있어선 검술을 배우는 것이 '교양'의 일부에 속하니까. 에반의 아버지인 소라인 후작 역시 처음엔 그에게 검술 선생을 붙여주려 하지 않았는가.
특히 왕족이며 후계자이기도 한 왕자는 나중에 왕이 될 자신이 검을 다루지 못해서야 실격이라고 생각하고 있었던 것이겠지.

'하지만 게임에서는 확실히 자신에게 맞는 무기를 다루고 있었지. 어지간히도 충격적인 사건이 있었든, 스스로 그것을 깨달았든…… 뭐, 어느 쪽이든 알 바 아냐.'

자신에게 적성이 있다면, 그 적성을 수련하는 것이 좋다. 만약 그것을 버린다 해도 최소한 한 번, 그것을 느껴볼 기회 정도는 있었으면 했다.

……아무 무기에도 적성이 없는 에반이 할 말은 아니지만서도.

"전하께는 망치가 어울릴 듯싶습니다."

"마, 망치? 창도 아닌 망치?"

"예, 망치요. 부디 꼭 한 번만이라도 잡아보시길 바랍니다."

"망치……."

그야 어이가 없겠지. 하지만 왕자는 방금 자신을 쓰러트린 상대인 에반이 하는 말을 가볍게 흘려 넘기지는 못한 것처럼 보였다. 에반은 그것으로 만족하며 다시 뒤로 물러섰다.

'적어도 한 번 잡아보기는 할 것이고, 그럼 느끼는 바가 있겠지. 이걸로 왕자는 망치를 몇 년은 빨리 수련하게 되어 더

욱 강해질 거야……. 아군 측의 전력은 늘어나면 늘어날수록 좋으니까.'

게임 속에서도 강했던 왕자가 제 적성을 보다 빨리 발견해 수련하기 시작한다면 분명 나중에는 더욱 든든한 힘이 되어줄 터였다. 아마 공주가 납치당하지 않게 도와줄 수 있을지도 몰랐다.

"알겠다, 내 기억하지. ……세레이나, 오늘은 계속 거기에 있을 것이냐?"

"응, 에반 오빠랑 있을래."

"알았다. 그럼 난 먼저 들어가마. ……에반 디 셰어든, 맡긴다."

"……오늘 하루만이라면, 기꺼이 공주님의 기사가 되겠습니다."

기왕이면 공주도 데려가줬으면 했지만 왕자는 기사들 중 일부를 이끌고 깔끔하게 퇴장해버렸다.

바람처럼 나타났다 바람처럼 사라진 왕자의 뒷모습을 보며 탐험가들 중 몇 명은 지금도 간헐적으로 웃음을 터트리고 있었다.

'왕자가 제대로 망치술을 수련해서 나타나면 그땐 다들 지

금처럼 못 웃을 텐데.'

왕자가 레귤러로 성장한 때 다시 만난다면, 그때야말로 에반이 일격에 당할지도 모르는데 말이다. 그렇기에 에반은 앞으로도 방심하지 않고 슬라임을 잡기로 명심했다. 레벨은 곧 체력, 체력은 곧 국력!

그런 의미에서 슬슬 파티에서 빠져나가고 싶은데 그게 마음처럼 되지가 않았다.

"에반 오빠, 춤 더 출래?"

"그렇게 췄는데 또? 싫어요."

"그러면 나랑 춰."

기껏 공주의 제안을 거절했는데 그 뒤에서 세레이나 못지않은 미모를 자랑하는 소녀가 얼굴을 들이밀었다. 물론 아리샤 폰 펠라티였다.

손에 들고 있던 나무 꼬챙이를 옆에 내려놓는 것으로 보아 그녀도 함께 꼬치를 먹은 듯했으나, 세레이나와는 달리 그녀의 입가는 깔끔했다. 아니, 지금 이게 중요한 게 아니고.

"……아니, 그러니까 왜?"

"재밌어 보여서."

그러면 다른 사람이랑 추면 될 텐데……라고 말해도 아마 안 되겠지. 안 될 것이다. 아까 던전 기사단이 되고 싶다고 했을 때도 왜냐고 물으니 '재밌을 것 같아서'라고 답했던 것을 그는 기억했다.

주인공으로 아리샤를 몇 번이고 공략했던 여반민의 기억이 에반에게 이르고 있는 것이다. '재밌다'는 말을 꺼낸 아리샤는 결코 멈추지 않는다는 사실을.

"다녀오시죠, 에반 공자. 한 번 뜻을 정한 아리샤는 굽히는 법이 없습니다."

"아니, 왕가도 그렇고, 왜 다들 여동생 한 명 못 이겨서 이러는 거예요?"

"……에반 공자도 여동생이 있을 텐데, 그 아이가 크면 알게 될 겁니다."

크로우가 꼬치를 물어뜯으며 우울한 투로 말했다. 에반 역시 우울해졌으나, 언제까지고 아리샤가 그에게 뻗어온 손을 놔둘 수도 없는 노릇. 끝내 손을 맞잡고 재차 무대로 나서는 수밖에 없었다.

"잘 다녀와. 돌아오면 다시 나랑 춰야 해."

"아주 인기남이네, 에반 공자님."

"벌써부터 이런 미녀들을 후리고 다녀서, 나중에 진짜 칼

맞는 거 아냐?"

"쉿, 재수 없는 소리 하지 마."

탐험가들이 중얼거리는 소리가 실로 에반의 가슴에 아프게 박혔다. 에반의 가장 유력한 사망 원인을 바로 맞춰버리다니! 그래서 나름 조심하고 있는데! 여자 안 꼬시는데!

하지만 뭐, 사실 냉정히 따져보면 아리샤는 에반을 직접 죽인 적은 단 한 번도 없다.

에반이 자살하도록 하는 동기를 제공할 뿐, 아리샤 개인만 놓고 보면 그저 한심한 약혼자에게 몇 년이나 붙들려 있다가 겨우 제 사랑을 찾아 자유를 얻는 사람이 아닌가!

'이번엔 약혼하지도 않을 테고.'

설사 약혼을 하는 셈이 되어 결과적으로 파혼에 이른다 해도, 에반은 이미 게임 속의 에반과는 다르다. 약혼녀에게 차인 정도로 자살을 택하는 한심한 남자는 아닌 것이다.

세상에 누릴 게 얼마나 많고 할 수 있는 일이 얼마나 많은데 자살을 한단 말인가! 물론 그렇다고 해도 여전히 아리샤는 꺼려지는 존재지만! 약혼 따위 결코 사양이지만!

"자, 춤추자."

"……그래."

에반이 아리샤와 무대로 나오자 그들을 알아본 류트걸즈가 휴식을 멈추고 재차 류트를 잡았다. 에반이 눈인사로 감사를 표하자 그녀들이 자지러지듯이 기뻐하는 것이 보였다.

"인기 많네."
"너도 많을걸. 다 알아."

시간이 조금 흘러서인가, 이번 곡은 처음의 것에 비하면 살짝 템포가 늦은 곡이었다. 두 사람은 곡조를 파악하고 그에 맞게 움직임을 맞추며 천천히 대화를 나누었다.

"응, 나도 인기 많아. 하지만 별로 좋진 않아."
"우연이네, 나도 그런데."

아름다운 외모를 타고나는 것은 어마어마한 축복이다. 전생의 여반민이 딱히 특출날 것 없는 외모였기 때문에 더더욱 에반은 자신이 얼마나 큰 축복을 받았는지 알고 있었다.

만약 에반이 장차 자신의 외모로 인해서만 수백, 수천 번 죽음을 당한다는 것을 몰랐다면 좀 더 솔직하게 자신이 타고난 아름다운 외모를, 인기를 즐길 수 있었을지도 모른다.

"외관은 그 사람의 내면에 대해서는 아무것도 말해주지 않는데, 바보 같아."

"철학 시간이야? 하지만 난 외관을 부정하고 싶지 않아. 그렇게 타고나는 요소를 하나하나 부정하기 시작하다 보면 끝내 모두 부정해야 할걸. 아마 내면조차도."

그렇다. 외관이 타고나는 것이라면, 내면 또한 타고나는 것이라고 에반은 생각했다. 선천적으로 악한 사람이 있는가 하면 착한 사람도 있으니까.

그것은 자신의 노력 여하에 따라 바꿀 수 있다지만 과연 노력이란 오롯이 후천적인 요소라고 단언할 수 있는가? 아무리 노력하고 싶어도 노력할 수 없는 사람이 있을지도 모르는데?

"그러니까 난 스스로에게 주어진 것 모두를 긍정해. 그 안에서 내 노력 여하에 따라 바꿀 수 있는 것, 바꾸고 싶은 것을 바꿔갈 뿐."

"그렇구나. ……자신의 외모는 긍정하지만 인기를 끄는 건 싫은 거구나."

아리샤는 에반의 생각을 듣고 조금 놀란 것 같았지만, 그게 틀렸다고 부정하지는 않았다.

역시 레귤러는 뭐가 달라도 다른 걸까, 아마 에반과 같은 나이일 텐데 지금 이 말을 이해하다니. 에반은 전생의 기억이 있기에 할 수 있는 말인데도!

"인기를 끄는 것도 마냥 나쁘진 않은데, 그로 인해 일어날 수 있는 다른 부정적인 일들이 예상돼서 싫은 거야. 너도 그런 게 있을 거 아냐?"
"응, 있어."

아리샤는 쿨하게 긍정했다. 그래, 있을 것이다. 아직 열두 살이라지만 이 정도 미모가 아닌가. 세상에는 있는 것이다. 어린아이를 밝히는 변태들이.

"하지만…… 응. 그렇다고 내 외모를 부정할 필요는 없겠네. 네 말이 맞는 것 같아."
"긍정적으로 받아들여주니 다행이야."
"역시 재밌어."

그래서 뭐가? 참지 못한 에반이 물으려던 찰나 아리샤가 아무렇지도 않게 폭탄을 터트렸다.

"아마 우리 약혼하게 될 거야."

에반은 박자를 삐끗하려던 것을 간신히 참아냈다. 아리샤는 여전히 담담하게 그의 손을 붙잡은 채 춤을 추고 있었다.
에반은 목소리가 떨리려는 것을 참으며 어떻게든 그녀의 말에 반박했다.

"아니, 절대 아닐걸. 우리 아버님이 거절할걸. 적어도 난 싫다고 했어."
"아버지가 밀어붙일 거야. 그래서 따라간 거야."

그래서 따라가다니? 에반은 그제야 떠올렸다. 국왕과 셰어든 후작과 펠라티 백작이 함께 자리를 비웠다는 사실을.
그저 양국의 현안과 던전도시에 대한 얘기를 나누려고 간 줄 알았는데 설마 에반의 약혼에 대한 얘기를 하려고 나간 것이었단 말인가!?

"아, 아닐걸. 던전 기사단장이 된다는데 딸을 주려고 하는 사람은 그리 흔치 않을걸."
"나는 좋다고 했어."
"……왜, 왜?"

설마 외관으로 사람을 평가하는 게 싫다고 말했던 녀석이, 에반의 외관에 이끌렸을 리는 없는데.

"너, 세상 모든 일을 알고 있는 것처럼 행동하는 주제에 날 무서워하니까."

에반은 그 순간 자신의 심장이 얼어붙는 것만 같았다. 그녀와는 이번이 두 번째 만남에 불과하다. 그런데 어떻게 알았지? 대체 어떻게 알았지?

역시 포커페이스 수련을 완벽하게 했어야 하는데, 샤인 이 나쁜 놈!

“그게 너무 재밌어서.”

아리샤 폰 펠라티가 빙그르르 턴을 하며 백금의 머리칼을 휘날렸다. 때마침 창으로 들어온 달빛이 그녀를 비추며 마치 덧없이 아름다운 요정처럼 보이게 했다.

“언제까지 무서워하려나 궁금해서.”

턴이 끝나고 에반과 재차 손을 맞잡은 아리샤가 희미하게 웃었다. 정말로 재미있는 것을 발견했을 때 그녀가 짓는 표정이었다.

그에 에반은 직감적으로 깨달았다. 이미 그녀가 자신을 겨누고 있다는 사실을.

“한번 옆에서 지켜볼까 싶어서. 그래서.”

에반은 온몸 부르르 떨리게 하는 그녀의 미소와 마주하며 진심으로 생각했다.

이래서 옛날얘기에서 요정만 나왔다 하면 안 좋은 일이 생기는구나.

❋❋❋

뇌까지 오들오들 떨리게 하는 아리샤 폰 펠라티와의 멋들어진 왈츠가 끝난 후, 에반은 얼른 그녀를 떨쳐내고 집 안으로 숨어버리고 싶었지만 세상이 그를 그렇게 하도록 놔두지 않았다.

"저랑도 한 곡 추셔야죠, 에반 공자님."
"세르피나 누나?"
"그거 끝나면 저도요."
"한나 누나도……."
"어, 어머나. 그렇다면 저도……."
"에반 공자님, 저와도 부디 한 곡을!"

아리샤의 신청이 기폭제가 된 것일까, 평소 그와 친분이 있던 세르피나와 한나를 시작으로 다른 귀족 여성들도 질세라 그에게 춤을 신청해왔다. 그뿐인가, 여성 탐험가들도 용기를 내어 줄을 섰다.

원래 요마대전 세계에서도 여성이 남성에게 먼저 춤을 신청하는 관습은 없었는데, 오늘 용감한 한나의 신청이 모든 이의 망설임을 없애버린 것만 같았다.

아니, 어쩌면 에반의 마력적인 미모가 모든 이들의 이성을 느슨하게 만들어 이런 결과를 낳았는지도 모른다.

“휴우, 진짜 인기 절정이시네.”

“열두 살 생일이니까 저 정도 관심은 받아야지. 열두 살 생일은 응당 저렇게 축복받아야 하는 날이야.”

“뭐, 우리 도련님이니까 저 정도는 당연하죠. ……본인이 정말 저렇게 되길 바랐던 것 같진 않지만.”

쉼 없이 무대에서 다른 여성과 춤을 춰야 하는 신세에 놓인 에반의 모습에 라이한과 샤인은 피식 웃으며 얘기를 주고받았다.

라이한은 한나와 세르피나에게 교대로 시달리다가 이제 좀 자유를 찾았고, 샤인은 기사단 정복을 입고는 있었으나 에반의 시종 노릇에 충실해 있었기에 심심찮게 들어오는 제안을 모조리 거절했다.

“아깝게. 도련님도 아마 파티를 즐기라고 일부러 너희한테 간섭을 안 하시는 걸 텐데.”

“물론 알고는 있죠. 오늘은 저나 벨루아한테 뭘 요구한 적이 하나도 없으니까. 단지 도련님을 놔두고 놀 기분이 안 들어서. 뭣보다 저한테 이런 파티는 별로 중요한 게 아니기도 하고.”

"여자한테 관심 없어?"
"음, 지금은 달리 집중해야 할 일이 너무 많아서 관심이 안 가네요."

샤인은 손에 들고 있던 꼬치를 단숨에 입에 구겨 넣은 후 꼬치를 휙휙 휘두르며 우물우물 고기를 씹었다. 라이한은 그의 손놀림이 단검을 다룰 때와 비슷하다는 사실을 알아차렸다.

"너 던전에 들어가고 싶구나."
"도련님과 우리가 나눈 약속의 증거니까. 후딱 확인해보고 싶은 마음도 있고…… 아니, 물론 이젠 도련님을 단단히 믿고 있고, 설령 도련님의 말대로 되지 않는다고 해도 도련님을 떠날 생각 따윈 없지만요."

지난 3년간 던전에 들어갈 날만을 위해 죽도록 수련해왔다. 에반과 벨루아와 함께 셋이서 하나만 바라보고 노력해왔다.
그러니 이젠…… 던전에 들어간다는 것 그 자체에 특별한 의미를 부여하게 되고 마는 것도 어쩔 수 없지 않을까, 샤인은 그렇게 생각했다.

"그냥 좀 설레네요. 생일 때보다도 더 설레요. 그래서 도저히 다른 게 눈에 들어오질 않아요."
"……그 마음 마냥 모르는 것도 아니다만."

라이한 역시 에반과 나름 극적인 만남을 통해 그와 함께할 것을 다짐하게 되었다.

비록 그가 자신의 능력을 개화시켜준 방향은 조금 자신이 상상하던 것과는 달랐지만…… 그래도 그 덕에 강해졌다고 자신할 수 있었다. 그 역시 던전에서 달라진 자신을 증명해보고 싶은 마음은 샤인에게 뒤떨어지지 않았다.

"그래도 너무 들떠 있으면 실수를 하게 되고, 전장에서의 실수는 죽음으로 연결되는 법이야. 차분히 가라앉혀."

"그래야죠. 내일 던전에는 도련님도 함께 들어가게 될 테니까. ……진정해야죠."

샤인은 라이한의 말에 고개를 끄덕이곤 힐끗 옆을 바라보았다.

그곳에는 그들의 대화에는 전혀 참여하지 않은 채, 물론 자신에게 말을 걸어오는 다른 모든 이—크로우를 포함한 무수한 소녀들—에게는 전혀 반응하지 않은 채 그저 뚫어져라 에반을 바라보고 있는 벨루아의 모습이 있었다.

"야, 그냥 한 곡 같이 춰달라고 해."

"바보 샤인, 닥쳐."

"닥치긴 뭘. 내가 없는 말 했냐?"

"……."

벨루아는 단호히 반박했지만 속내는 그렇지 않다는 걸 샤인은 아주 잘 알 수 있었다. 그도 그럴 것이 그녀는 2부가 시작되자마자 조심스레 옷을 갈아입고 왔으니까.

에반이 왕도에서 사준 서머 드레스. 계절은 봄이지만 오늘 밤은 유독 포근하여, 그녀와 비슷하게 차려입은 이도 많았다.

물론 그중에서도 벨루아는 군계일학이었지만, 요는 그게 아니다. ……그녀도 에반과 춤추고 싶은 것이다.

“네가 지금이라도 당장 도련님이랑 춤추고 있는 여자 머리통에 화염구를 던져댈 것 같은 표정을 짓고 있으니까 하는 말이잖아.”

“……큭.”

벨루아는 차마 샤인의 말을 부정하지 못했다. 농담으로 했던 말에 진지하게 표정을 굳히는 벨루아를 보며 라이한과 샤인이 되레 흠칫했다.

“야, 너, 귀, 귀족이다. 절대 그러면 안 된다.”

“참아라, 벨루아. 네 화염구에 사람을 해칠 위력이 있다는 건 이미 본인도 알고 있으리라 믿는다. 아, 알고 있겠지?”

“……그래서 힘들게 참고 있잖아.”

그 말을 듣는 둘의 몸이 재차 흠칫 떨렸다. 정말로 참고 있었다니! 오늘 하루, 대체 얼마나 많은 여자가 죽을 위기에 놓였었단 말인가!

"내가 대신 말해줘? 벨루아랑도 댄스 한 곡 어떠시냐고?"

"절대 안 돼. ……내 쪽에서 먼저 요구하면 안 된다고 샤인이 그랬잖아."

"그 말을 기억하고 있어주니 오빠 입장에서 기특하긴 하다만…… 그래도 오늘은 특별하잖아. 특별한 날이잖아."

"내겐 도련님과의 매일이 특별해. 어느 한 날도 빠짐없이, 어느 한 날도 덜하지 않아."

"……."

스스럼없이 이런 말을 할 수 있는 것도 재주라면 재주일 것이다.

벨루아가 지금도 에반의 파트너를 죽일 듯이 노려보고 있지만 않았더라도 조금은 더 가련해 보였을 텐데…….

"아, 메이벨 누나 난입한다."

"저 애가 슬슬 올 거라고 생각했지."

벨루아가 혼자 괴로워하고 있는 사이, 드디어 오늘의 일을 모두 마친 메이벨이 회장으로 난입해 이제 막 파트너와의 댄스를 마치고 작별하던 에반에게로 돌격했다.

에반은 기다리고 있었다는 듯이 그녀를 받아 안으며 멋지게 회전하는 퍼포먼스로 무수한 이들의 박수갈채를 받았다.

"인기 끄는 거 싫어한다면서 가만 보면 사람 이목 잡아끄는 일은 골라서 다 한다니까."

"그게 끼라는 거야, 어쩔 수 없어. 공자님은 선천적으로 모든 사람을 자신에게로 끌어당기는 끼를 지니고 있는 거야."

"완벽한 무대의 주인공이네……. 내 열두 살 생일 땐 저렇지 않았는데."

"엇, 안녕하세요."

어느새 크로우가 그들에게로 다가왔다. 여태껏 계속 벨루아에게 말을 걸려다가 굉장히 냉정하고 싸늘하게 완전히 거절당해 마음이 꺾인 나머지 그들에게로 온 모양이었다.

"나도 에반 공자가 되고 싶어……."

"나쁘게 말은 안 할 테니까 포기하시죠."

"젠장……."

메이벨과 즐겁게 춤을 추다가 이내 연주를 그만두고 난입한 류트걸즈 멤버와도 한 명 한 명 손을 붙잡고 춤을 추며 어울리는 에반. 높은 환호성이, 박수가, 즐거운 목소리가 울려 퍼졌다.

"돌아라! 돌아!"
"공자님, 제 손도 붙잡아주세요!"
"언제까지 하는 거야, 이거? 응, 언제까지야?"
"계속! 지칠 때까지 계속!"

모든 사람의 중심에서 당당하게 멋진 춤을 추고 있는 그의 모습은 정말 세상의 주인공처럼 멋지고 아름다워 보였다. 저런 매력적인 존재가 둘씩이나 있어서야 어디 다른 사람들이 세상 살맛이 나겠는가.

"에반 도련님은 이 세상에 주인공은 따로 있다고 하셨지만……."
"저런 비슷한 존재가 몇몇 더 있을지는 모르지. 하지만 아마 공자님을 넘는 존재는 없을걸."
"나도 에반 공자가 되어 벨루아 양의 마음을 얻고 싶어……."
"에라이."

에반을 닮고 싶은 이유가 그것이었단 말인가! 샤인은 한심하다는 속내를 감추지 않으며 벨루아를 끌어 자신 앞으로 데려왔다.

"벨루아, 이분한테 한마디 해줘. 누가 혼 안 내니까 진실한 네 속마음을 말해드려."

"에반 도련님을 닮는다고 크로우 공자님이 에반 도련님이 되는 것은 아닙니다. 설령 제가 자유의 몸이 된다 해도, 설령 귀족이 된다 해도 저는 에반 도련님을 따를 것이니, 이만 제게서 관심을 거두어주시기 바랍니다. 솔직히 저를 포함해 많은 사람에게 민폐가 됩니다."

"커흑!"

그로써 크로우는 깔끔하게 격추되었다. 이런 말을 듣고도 다음에 다시 덤벼든다면 드디어 범죄자가 된 것이니 그때 가서 체포하면 될 것이다.

그때였다. 에반이 그들을 향해 손을 흔들었다.

"너희만 거기 떨어져서 뭐 하고 있어!"

"어."

그러고 보면 어느덧 회장 내에 있던 사람들 모두 에반과 함께 어울려 더 이상 왈츠라고도 부를 수 없는, 서민들이 출 법한 춤을 즐겁게 추고 있었다.

의외로 꼬치구이점 주인장의 막춤 솜씨가 절륜하여 사람들이 배꼽을 잡고 웃어대고 있었다.

"같이 와서 놀자! 폴, 너도!"

던전 기사단 예비 단원들도 모두 한데 어우러져 있는데 그 와중에 소심한 폴만 또 다른 데 숨어있었던 모양이다.

샤인은 에반의 부름에 자신의 등 뒤로 다가와 숨는 폴을 보곤 피식 웃으며 녀석을 들어 올렸다. 폴이 쩔쩔매며 그의 팔을 두드렸다. 무척 귀여웠다.

"샤, 샤인 형! 저 부끄러워서 춤 같은 거 못 춰요!"

"도련님, 지금 갑니다!"

샤인은 폴을 들어 올린 채 앞으로 나아가며 라이한에게 신호를 주었다. 라이한이 알겠다는 듯 윙크하곤 큰 목소리로 외쳤다.

"공자님, 여기 공자님의 에스코트를 바라는 레이디가 있습니다! 언제까지 쓸쓸히 놔두실 셈입니까!"

"아, 이런. 내가 섬세하지 못했네."

에반은 라이한의 말을 듣고 나서야 벨루아가 줄곧 혼자 있었다는 사실을 깨달았다.

저택 안에서도 자신이나 샤인, 라이한을 제외한 남자와는 절대 접촉도 하지 않던 그녀인데 다른 남자들이 치근덕대는 것도 싫었겠지.

'헉, 혹시 여태까지 방치해뒀다고 화난 건 아니겠지?'

여기저기서 샘솟는 사망 신호들에 대처하다 보니 정작 바로 옆에 잠재되어 있던 사망 신호를 모른 척 지나갔던 것이 아닐까! 꺼진 불도 다시 봐야 하는 법인데!

에반은 다급히 회장을 미끄러지듯 달려가 그녀 앞에 한쪽 무릎을 꿇고는, 그녀를 향해 조심스레 한 손을 내밀었다.

"레이디, 오늘 밤 제게 당신을 에스코트할 영광을 주시겠습니까?"

벨루아는 에반의 매혹적인 보랏빛 눈동자와 마주하며 흡, 숨을 크게 들이쉬었다.

창 너머로부터 비춰오는 달빛이 벨루아와 에반, 두 사람만을 비추고 있는 것처럼 느껴져 괜히 그녀의 마음이 들떴다.

"제, 제가 어찌 감히 도련님께."

"오늘은 그런 사소한 건 잊도록 하죠. 그래서 레이디, 어떠십니까?"

"……네."

필시 달의 마력이 그녀를 매혹한 탓이리라.

벨루아는 가장 특별한 날, 가장 특별한 날, 속으로만 그렇게 되뇌며 에반의 손을 붙잡았다.

"기꺼이……."

"영광입니다."

심장이 금방이라도 터질 것처럼 쿵쾅거렸지만 지금은 그것을 느낄 겨를도 없었다. 에반이 그녀의 손을 잡아 이끌어주고 있었다. 그것만으로 세상이 눈부신 빛으로 가득 찼다.

"도련님은 마치…… 세상의 중심에서 찬란히 빛을 흩뿌리고 있는 왕자님 같습니다."

"중심은 무슨. 내가 왕자라면…… 그래, 변두리의 왕자지."

엑스트라 중에서도 최고로 유명한 엑스트라이니, 변두리의 왕자라는 표현도 괜찮을지 모르겠다. 에반은 스스로의 말에 피식 웃곤 벨루아를 조금 더 가까이 자신에게로 끌어당겼다.

"그러면 한 곡 추실까요, 레이디 벨루아?"

"하지만 저는 춤을 잘 모릅니다, 도련님."

"상관없어. 둘이 호흡을 맞춰, 몸이 가고 싶은 대로 움직이면 그게 춤이거든."

"그렇다면…… 예, 왕자님."

벨루아의 호칭에 에반은 눈을 크게 뜨는가 싶더니 이내 피식 웃어버렸다.

벨루아가 볼을 붉게 물들인 채 그의 양손을 붙잡았다. 둘의 흑발이 한데 섞여 어우러졌다.

원, 투, 쓰리.

원, 투, 쓰리.

경쾌한 왈츠 박자에 맞추어 달과 구름도 함께 춤을 추는 것만 같았다.

파티에 참여한 이 누구도 잊지 못할 멋진 3월의 어느 밤이었다.

Chapter 17.
에반 디 세어든, 던전에 들어가다

"에반, 일단 약혼은 모두 막아냈다."

"역시 아버님이야! 전 아버님이 해내 주실 거라 믿고 있었어요!"

즐거운 생일파티가 끝나고, 곧장 후작에게로 달려온 에반은 기다렸다는 듯이 후작이 하는 말에 눈물을 글썽이며 외쳤다.

자신에게 점점 더 대담하게 들이대는 세레이나, 자신이 재미있다며 관심을 갖는 아리샤의 모습에 그가 얼마나 마음을 졸였던가!

"우리 모두 예상하고 있었던 대로, 국왕 폐하는 공주라는 카드를 던전 기사단장에게 넙죽 안겨줄 정도로 바보가 아니다. 그래서 우리의 의지가 굳건하다는 것을 보이는 정도로 물리칠 수 있었지."

"즉 세레이나 공주님 쪽은 이제 걱정 안 해도 된단 얘기네요."

에반의 말에 후작은 순간 묘한 표정이 되었지만 이내 큼큼, 헛기침을 하며 표정을 가다듬고는 답했다.

"……그래, 아마도."

"방금 대답을 해주시기 전에 침묵이 묘하게 길었는데 괜찮은 거죠, 아버님? 정말 괜찮은 거 맞죠?"

"폐하께선 최대한 막아보겠다는 말씀을 하셨다. ……막아보겠다고 하셨다."

방금 한 나라의 국왕이 공주를 통제할 수 없을지도 모른다는 발언을 들은 것 같은데!

"공주라는 카드를 던전 기사단장에게 줄 수는 없다면서요!?"

"그렇지만 카드가 직접 뛰쳐나가는 것까진 어쩔 수가 없지 않겠느냐. 그러니 에반, 그 뭐냐…… 앞으로는 항상 몸가짐을 단정히 하고 다녀야 한다."

"방금 굉장히 순화해서 말씀하셨네요, 아버님!"

"그래도 다 알아듣지 않느냐."

만약 밤에 공주가 에반의 침대로 돌격해온다거나 하면, 그래서 여차저차 이러저러 한 끝에 기정사실이 생겨버린다면…….

물론 둘 다 아직 어린 만큼 그런 일은 없겠지만 나중에는 에반 쪽에서 조심해야 한다는 얘기다. 에반은 식은땀을 흘리며 말했다.

"서, 설마 그때까지 공주님이 저러시겠어요. 다른 좋은 분이 나타나겠지요."

"그러길 빌자꾸나. 나도 그러길 바란단다. 자, 그래서 그나마 나은 쪽 얘기는 끝났고."

"그나마 나은 쪽!? 방금 이 얘기가 그나마 나은 쪽이었어요!?"

"에반, 일단 말해두마. 펠라티 가문 사람들은 남녀를 불문하고 대대로 똥고집인 것으로 유명하다."

"펠라티 가문뿐만 아니라 제 주위에 있는 사람들은 다 똥고집인 것 같은데요……."

모든 희망을 잃고 죽은 눈이 된 에반을 딱하다는 표정으로 바라보며 후작이 말을 이었다.

"아무래도 네가 펠라티 백작과 영애의 마음에 단단히 들어버린 것 같구나. 어떻게든 도장을 찍게 하고 싶은 눈치였다.

더구나 던전 기사단장은 원래 다른 던전도시의 위기에 힘을 빌려주는 경우도 있어, 오히려 그 던전 기사단장을 사위로 삼으면 여차할 때 도움을 받을 수 있어 좋기도 하고 말이다."

"그러고 보면 그런 규칙이 있었구나……!"

생각났다. 요마대전 3와 4에서도 던전도시의 위기에 다른 던전도시로부터 위풍당당하게 던전 기사단이 등장해 조력해주는 장면이 있었다!

그땐 그저 '짱 센 NPC 지원 개꿀'이라고만 생각했었는데 설마 거기에 이런 함정이 있었을 줄이야!

"그러나 내가 에반의 혼사는 에반의 선택에 맡기고 싶다고 하자, 확실히 그도 맞는 말이라며 펠라티 백작도 수긍했지."

"오오오!?"

"그래서 우선 너희에게 서로를 알아갈 시간이 필요하겠다는 결론을 내렸다."

"아니, 왜……."

에반의 안색이 창백해졌다. 서로를 알아갈 시간이라니, 이제야 아까 아리샤가 얘기했던 말을 이해할 것만 같은 기분이었다.

역시나 이어지는 후작의 말은 그가 생각한 그대로였다.

"그러니 우선 딸을 우리 던전 기사단의 예비 단원으로 입단시키고 싶다고 하더구나. 한 곳에서 부대끼며 지내다가 너희 둘이 잘되면 그대로 정식 단원이 되는 것이고…… 이 뒤는 말 안 해도 알겠지?"

"……아버님."

일단 둘을 붙여놓고 생각하자는 것 아닌가! 수법이 완전히 낡았어!

"이 이상은 도망칠 수가 없었단다, 에반. 던전도시에 든든한 전력이 늘어난다는데 그걸 완고하게 내칠 수도 없는 노릇이고, 하물며 에반 네가 예비 단원이라며 아이들에게 멋진 제복까지 입혀 내놓았으니 이제 와 예비 단원은 없다고 부정할 수도 없고……."

"으, 제 발등을 제가 찍었네요."

예비 단원의 존재를 과시하는 것은 사람들에게 미래를 기대하게 만들기 위해서도, 예비 단원 스스로에게 자신감을 불어넣기 위해서도 꼭 필요한 절차였다.

그럼에도 불구하고 지금은 그것이 후회되었다. 맹렬히!

"그러게 왜 그렇게 네 엄마를 쏙 닮아 나왔느냐. 조금만 나를 닮았으면 이 정도로 여자들한테 시달리진 않았을 텐데."

"답변하기 곤란한 질문은 하지 말아주세요, 아버님. 전 아버님도 무척 멋지다고 생각해요……."

후작은 우울해하는 에반의 등을 토닥여주며 달래다가, 이내 심호흡을 하곤 그에게 물었다.

"너는 왜 그렇게 여자를 무서워하는 것이냐? 이젠 나도 들어야겠구나."
"그건……."
"그건?"

물론 세레이나와 아리샤를 특별히 더 무서워하는 이유가 있었지만, 아마 그것을 설명해도 후작은 납득하지 못할 것이다.
그렇기에 에반은 그보다 근본적인 이유, 에반 디 셰어든이 여자라는 존재를 조심해야 하는 이유에 대해 두루뭉술하게 논하기로 했다.

"제 곁에 제가 통제할 수 없는 외부인이 머무르게 된다는 게 무서워서예요, 아버님."
"……."

후작은 그 말을 듣고 잠시 침묵했다. 생각했던 것보다 깊은 이유였으니까. 그러나 적어도 아들이 여성 공포증은 아니라는 사실에 후작은 안도하며, 그리고…… 또 의아해했다.

"그것이 어째서 두려운 것이냐?"

"속내를 완벽히 파악할 수 없는 상대에게 저 자신도 모르는 새 너무 가까이 다가갔다가, 그만 상처를 입게 될 것만 같아서 무서워요."

"허어……."

주로 독살당하거나, 칼에 찔리거나, 저주를 당하거나, 마법 주문에 맞거나!

그러나 후작은 에반이 말하는 상처가 상처(물리)라는 사실까지는 파악하지 못했다.

"그렇구나, 에반. 너는 그런 연유로 여성을 무서워하고 있던 것이었느냐……."

"바보 같죠, 아버님?"

"아니, 전혀 바보 같지 않다. 그러나 확실히 아이 같지 않기는 하구나. 벌써부터 그런 것을 무서워해 사람과 친해지는 것을 피해선 안 될 터인데. 아니…… 꼭 그렇지만도 않은가."

후작은 에반이 친하게 지내는 사람들의 얼굴을 떠올려보며 그가 무조건 사람을 피하는 것만은 아니라는 사실을 깨달았다.

다만 그 대부분이 그와 철저한 상하관계로 연결되어 있거나 그리 깊은 접점이 없는 관계라는 점에는 주목할 법했다. 대표적인 것이, 거의 가족처럼 친하게 지내면서도 굳이 샤인과 벨루아를 자신의 '하인'으로 대하고 있다는 점이다.

그래, 놀랍게도 이 아이는 벌써부터 자신 나름의 사람과 사귀는 방식을 정해두고 있던 것이다.

'그러나 그 기준은 한없이 애매하여 곧 으스러지고 말 터인데.'

그래서 그것이 나쁜가? 아니, 전혀 그렇지 않았다. 오히려 반드시 그렇게 되어야만 했다.

'스스로 겪어보면 깨닫게 되겠지. 인간관계도, 물론 사랑도.'

에반 이 아이는 가엽게도 사람과 사귀는 방식을 자신이 정할 수 있다고 생각하는 모양이지만 세상을 산다는 것이, 인간과 엮인다는 것이 그리 간단하지는 않다.

이 아이도 곧 자신의 실패를 깨닫게 될 날이 올 것이다. 그러나 그로 인해 한층 더 성장할 수 있으리라. 보다 많은 사람에게 사랑을 받게 되리라. 보다 많은 사람을 마음으로 이끌 수 있게 되리라.

"잘 알겠다, 에반. 애비는 네 뜻을 존중한다."
"역시 아버님……!"
"다만 어디까지나 스스로의 힘으로 해야 할 것이야. 실패하거든 그 결과물을 있는 그대로 받아들이거라. 그리고 다시 생각해보는 것이다. 나에 대해, 상대에 대해. 알겠느냐?"
"으음……."

죽음을 받아들이기는 싫은데, 분명 뭔가 오해를 하고 계신 거겠지……. 에반은 그렇게 생각하면서도 지금은 우선 고개를 끄덕여두기로 했다.

"네, 아버님!"
"그래, 우리 기특한 둘째 아들. 열두 살이 된 것을 다시 한 번 축하한다."

그렇게 부자는 서로 다른 생각을 하며 서로에게 환하게 웃어 보였다. 서로를 아끼는 마음은 같은데 생각은 이렇게나 다르니, 과연 인간관계란 이렇게나 복잡한 것이었다.

에반은 몸을 깨끗이 씻고 자신의 방 침대에 누웠다. 새벽 2시 정도 되었을까? 워낙 밤늦게까지 파티를 즐긴 데다 많은 사람들과 대화를 나누고, 결정적으로 후작과 상담까지 하면서 잠에 드는 시간이 늦어진 것이다.

"내일은 드디어 던전에 들어가는 날인데…… 더 늦기 전에 진짜 자야지."

에반은 하품을 하며 침대 안으로 들어갔다. 들어가면서도 양손을 열심히 잼잼하며 슬라임을 터트리고 있었다. 오늘 하루 슬라임을 터트리지 못한 만큼 자기 직전까지 벌충하려는 생각에서였다.

"음……!?"

그런데 그 한순간, 돌연 므이라슬의 목걸이가 눈부신 빛을 토해내기 시작했다. 물론 목걸이의 성장은 은근히 자주 일어나는 일이기는 했지만 이번에는 그 규모가 달랐다.

이것은…… 1년 전 그때와 비슷하다! 공주의 눈앞에서 목걸이가 진화했을 때, 파이어 슬라임을 소환할 수 있게 되었을 때 일어났던 변화와!

[뀨우우우웃!]

이곳이 아닌 다른 어딘가에서, 슬라임의 소리가 났다. 어째

설까, 에반은 견딜 수 없이 불안해졌다. 직후 그의 예상이 들어맞았음을 증명하듯 그의 방문이 왈칵 열렸다.

"에반 오빠가 나를 불렀어!"
"안 불렀어!"

역시나 그곳에는 세레이나 L. 실크라인이 서 있었다. 그것도 잠옷 바람으로! 그러고 보면 공주가 땡깡을 부려 후작저에 며칠 묵어간다고 했었지!

그 뒤에는 경비를 서던 호위기사들과 공주 본인의 시중을 드는 것으로 보이는 하녀가 어쩔 줄 모르며 서 있었는데, 공주는 단호하게 '에반 오빠와 할 일이 있어'라고 선언하며 방문을 닫고, 잠그기까지 했다.

아니, 그 할 일이라는 게 뭔데!

'설마 몸가짐을 단정히 하라는 말을 들은 그날 밤에 공주가 내 침실로 쳐들어올 줄은 몰랐는데!'

경악하여 일단 이불로 자신의 몸을 꽁꽁 감싸는 에반에게 손을 뻗으며 세레이나가 말했다.

"새로운 아이가 태어날 거야. 나 그 아이가 갖고 싶어."
"아니, 진정해봐요, 공주님. 우린 아직 너무 어리고 난 아직

후사를 볼 생각이 없어요."
"둘만 있으니까 반말해도 되는데, 오빠?"
"이 급박한 상황에 그런 여유 차리게 생겼어!?"

급박한 상황이라는 말에 세레이나는 고개를 갸웃하곤 말했다.

"그렇게 급하진 않은걸. 그 아이가 빨리 소환해달라고는 하고 있지만."
"……소환?"
"응."

세레이나가 재차 에반을 가리켰다. 아니, 보다 정확히는 에반이 아니라 에반이 걸고 있는 목걸이를 가리키는 것이었다.
찬란한 빛을 쏟아낸 끝에 천천히 진정되어가는 목걸이를. 새로이 파란 보석이 빛을 발하게 된 그 목걸이를.

"……잠깐."

그제야 에반도 공황 상태에서 벗어나 이성을 찾았다. 냉정히 생각해보면 이제 고작 열한 살 먹은 공주가 기정사실을 만들자고 그의 침실에 쳐들어올 리는 없는 것이다.
그게 가능한 녀석이면 이제 에반은 모든 운명을 순순히 받아들이는 수밖에 없다.

'그 이유가 아니라면, 이 오밤중에 세레이나가 갑자기 나를 찾아올 이유가…….'

있다. 그녀는 목걸이가 반짝이는 순간 그를 찾아온 것이니까, 거꾸로 이유를 생각해보면 그 이상 명쾌할 수가 없다.

"혹시 이번에도 공주님한테 의사 전달을 할 수 있는 엘리트 슬라임이…… 자신을 구해달라고?"
"응, 맞아. 루비가 먼저 그 아이 목소리를 듣고 나한테 알려줬어. 그래서 같이 온 거야."
[뀨!]

루비가 자랑스럽게 울었다. 에반은 그제야 후우, 안도의 한숨을 내쉬며 목걸이를 붙잡았다.
그러자 이전에 그러했듯이 변화한 목걸이의 능력이 그의 뇌리에 쏙쏙 박혀 들었다. 진즉 이랬으면 좋았을걸.

"앞으론 그렇게 다짜고짜 쳐들어오는 거 하지 마요."
"반말로."
"앞으론 남자 방에 함부로 들어오는 거 아냐."
"응, 노크하고 들어올게. 그 나이대 아이는 섬세한 거 맞지?"

"그래, 맞아. 그런데 레이는 왜 그렇게 안 섬세하니."
"와, 드디어 레이라고 불러줬어. 너무 기쁘다."
"네가 둘만 있을 땐 그렇게 불러달라며."

에반은 순수하게 기뻐하는 세레이나에게 핀잔을 주며 한 손을 내밀었다. 이번에 소환될 슬라임은 저번과는 반대 속성의 슬라임, 아이스 슬라임이다.

이름에서 알 수 있듯 차가운 기운을 뿜어내는 슬라임인데, 엘리트이기도 한 만큼 루비처럼 특화된 능력이 있으리라 기대해볼 수 있었다.

"그러면…… 소환."
[뀨우우웃!]

이번에 나온 놈은 보석처럼 반짝이는 각질에 뒤덮였다는 점은 루비와 같지만 몸의 색조는 옅은 파란색, 굳이 말하자면 하늘색이었다.

그러나 등장 시의 퍼포먼스는 루비보다 한층 더했는데, 소환되자마자 허공으로 높이 뛰어오르고 작은 얼음 결정들을 뿜어내면서 끼를 부리더니 몸을 회전시키며 화려하게 착지, 곧장 무척 귀여운 춤을 추기 시작한 것이다.

마치 자신은 전혀 위험하지 않으며 착한 인간의 친구라고 광고라도 하는 것 같았다.

"……네가 미리 알려줬니?"

[꾸!]

루비가 자랑스럽게 고개를 끄덕였다. 에반은 이미 므이라슬의 목걸이로부터 슬라임이 소환되는 구조에 대해 의문을 갖지 않기로 했음에도 불구하고 격렬하게 의문이 샘솟는 것을 어쩔 수가 없었다.

아니, 이 녀석들은 소환되기도 전부터 대체 어떻게 이렇게 확실하게 의사소통을 할 수 있는 거야!

"와, 귀엽다! 오빠, 얘도 나 주는 거야?"

"본인이 받으러 와놓고 뻔뻔하게. 가져가라, 가져가. 다 가져가."

"와오, 에반 오빠 정말 좋아! 지렁이보다 좋아!"

기어이 지렁이보다 좋다는 말을 듣고 말았다. 에반이 뭐라 형용하기 힘든 심정이 되어 가만히 있자니 세레이나가 양손을 뻗어 아이스 슬라임 엘리트를 끌어안으며 기쁘게 웃었다.

"태어나줘서 고마워. 앞으로 잘 부탁해, 루시!"

"사파이어가 아니라 루시야!? 그런 구조였어? 다음은 루디야!? 아니, 그럼 루에이는 어디 갔어!"

하지만 역시 여기엔 태클을 걸지 않을 수 없었다!

❋❋❋

심히 납득할 수 없는 세레이나의 네이밍 센스에 경악한 바로 그다음 날, 던전에 들어가기로 한 날 아침.

에반은 던전에 들어가기 전 형제약국 약제실에서 버나드의 도움을 받아 짐을 꾸리고 있었다. 자신이 제작한 것 중 버나드의 인증을 받아 안정성이 확인된 물건들만 골라내는 것이다.

"후, 포션은 이 정도면 충분하려나."

"어디 대규모 원정이라도 가지 않는 한은 말이다. 누가 보면 장사라도 하는 줄 알겠다."

에반이 인벤토리 포켓에 꼼꼼히 각종 포션을 정리해 넣는 것을 보며 버나드는 끌끌 혀를 찼다.

막말로, 버나드는 에반이 혼자 던전에 들어가 돌격해도 10층까지는 걸음 한 번 멈추지 않고 돌파할 수 있을 것이라는 확신을 품고 있었다.

물론 무슨 일이 생길 것을 대비해 철저히 준비하는 것은 연금술사의 본분이기는 하나, 지금 에반의 모습을 보고 있자면…….

"내 장담컨대 포션 하나도 필요한 일이 없을 게다. 상처 치유든, 마나 회복이든, 정신 회복이든, 해독이든. 애초에 능력 좋은 사제를 대동하고 있지 않으냐!"

"이래서 던전에 들어가지 않는 사람과는 얘기를 말라더니. 할아버지, 던전이 왜 던전이겠어요? 언제 예기치 못한 일이 발생할지 몰라서 던전이에요. 던전 3층에서 까딱 공간 이동 계열 함정을 밟는 바람에 파티원들과 뿔뿔이 흩어져 죽임을 당한 탐험가 얘기는 쌔고 쌨다고요."

버나드는 욱하는 마음에 '나도 예전에 걸출한 동료들과 함께 셰어든 던전을 56층까지 공략한 적이 있다, 이놈아!' 하고 외쳐주고 싶었으나 현시대의 최고 기록인 45층을 아득히 초월한 기록을 입 밖에 내봤자 믿어주는 이는 없을 터였다. 그것은 자신의 제자라도 마찬가지다.

'더구나 세월이 흐르며 던전의 내용물이 바뀌기도 한다니, 당시의 내 지식을 이 녀석에게 섣불리 말해주는 것도 썩 좋은 일이 아닐 테고 말이야…….'

에반이 전생에는 요마대전 2에서 버나드를 포함한 주인공 일행으로 한정된 시간 내에 던전을 무려 77층까지 돌파했었다는 사실을 모르고 있기에 할 수 있는 우스운 생각!

그래서 버나드는 대신 다른 부분을 지적하기로 했다.

"파티원들과 뿔뿔이 흩어지면 설령 다른 파티원들은 몰라도 네가 위험할 일은 없을 것 같다만."

"후, 이젠 할아버지까지 그런 착각을. 전 그냥 평범한 아이들에 비해 몸이 조금 더 튼튼할 뿐이거든요. 여태 잡은 몬스터라곤 슬라임밖에 없는데 어떻게 제가 그렇게 강해질 수가 있겠어요. 격투술도 그냥 호신술 수준으로 익혔을 뿐이고."

"허어, 호신술이란 말이지……."

아무리 에반의 약한 척과 엄살이 널리 알려져 있다지만, 그것만은 차마 그러려니 넘기기가 힘든 얘기였다.

굳이 어제 있었던 기사단장과의 대련을 들 것도 없다. 사실 그는 몇 달 전 아이언월 나이츠의 기사단장, 미하일 디 에어로크와 우연히 술자리를 가지며 에반의 경악스러운 재능에 대해 얘기했던 적이 있었던 것이다.

'도련님은 격투술의 극을 보기 위해 태어난 분이십니다. 그런 초월적인 재능을 지니고 계신 분이니 지금 자신의 경지는 눈에 차지도 않는 것이겠지요. 초인의 기준을 저희 범인이 감히 판단할 수는 없는 노릇 아니겠습니까.'

던전에 들어가 파죽지세로 층계를 돌파하던 중, 천중이라는 고위 격투술을 신에게 직접 선물 받았다는 미하일.

그것은 그가 격투술에 뛰어난 재능을 타고났음을 상징하는 일이었다. 오랜 세월 살아온 버나드조차 고위 격투술을 익힌 이를 보는 것은 미하일이 처음이었으니까 말이다.

그런데 그것을 에반에게 가르쳤을 때, 미하일은 천중을 얻었을 때보다 더한 충격에 휩싸이고 말았다고 한다.

'도련님께서 천중의 요체를 터득해 자신의 방식으로 승화시키기까지는 순식간이었습니다. 신의 축복이 아니었더라면 저는 평생 넘지 못할 선이었던 그것을 말입니다! 저는 그것을 보고 도련님의 재능을 확신했죠. 그리고 동시에 깨달았습니다. 신께서 제게 부여하신 임무는 바로 에반 도련님을 세상 최강의 격투가로 만들어내는 것이라는 사실을……!'

워낙 능력을 습득하고 성장시키는 것이 빨라 이젠 오히려 자신이 에반에게 천중을 배워야 하는 처지가 되었다고 말하며 흡족하게, 그러나 조금 씁쓸한 표정으로 술잔을 기울이던 그의 모습을 버나드는 아직 잊지 못하고 있었는데.

더욱이 어젯밤 파티회장에서 그 천중으로 기사단장과 정면에서 주먹을 맞부딪치던 에반의 능력을 의심할 수 있는 이는 아무도 없을 텐데, 그런데…….

"기사단장도 제 능력이 부족하다고 괜히 신경 써줄 것 없는데. 처음엔 다른 기사들을 약한 척 연기하게 하더니 이젠 본인도 약한 척, 모르는 척, 아주 연기를 수준급으로 하더라고요. 어제 할아버지도 보셨죠?"

"그 대련 말이냐. 그게 연극이라고?"

"당연히 연극이었죠. 그것뿐만이 아녜요. 천중이라고 되게 간단한 기술 있는데 그걸 저한테 가르쳐놓고 제가 뭐 간단한 거 하나 해낼 때마다 엄청 감탄하는 거 있죠."

그런데 정작 그 격투술의 천재인 에반은 이런 말이나 지껄이고 있으니! 버나드는 제 이마를 짚었다. 에반이 어째서 이렇게까지 스스로를 과소평가하는지 정말이지 알 길이 없었다.

버나드가 엑스트라라는 단어를 이해하지 못하는 한은 아마 앞으로도 쭉 그럴 터였다.

"어제 네가 보여준 그게 정말 간단한 기술이라 이 말이지……."

"안 그러면 재능이라곤 없는 제가 그렇게 쉽게 배울 수 있을 리가 없으니까요. 저 몸치거든요. 아무튼 그런 제가 유일하게 믿을 만한 구석은, 웃차."

어젯밤 파티 회장에 있던 전투직 전원을 순수한 실력으로 경악시켰던 자칭 몸치 에반은 테이블에 긴급 공격용 폭탄들을 잔뜩 늘어놓으며 뿌듯한 표정을 지어 보였다.

"그나마 이 연금술로 만들어낸 것들뿐이죠. 제가 생각해도 연금술은 좀 경지에 오른 것 같아서요. 역시 진정한 의미에서 사람의 적성을 전혀 가리지 않는 기술, 지식과 사전준비로 때울 수 있는 연금술이 최고라니까!"

"예끼, 격투술은 몰라도 연금술은 아직 멀었다, 이놈아."

"치, 할아버진 맨날 그 말이야."

에반은 버나드의 핀잔에 입술을 삐죽이며 폭탄들을 종류별로 점검했다.

수백 개의 쇠구슬을 품고 있어 터지는 순간 사방의 몬스터를 공격하는 세열 수류탄, 공기 중에 노출되는 순간 반 액체 상태의 냉기 가스를 뿜어내 사방에 있는 것들을 얼어붙게 만드는 냉동탄.

그 외에도 섬광탄, 화염탄, 최루탄 등등 다양한 폭탄이 두둑이 채워져 있었는데, 모두 에반이 직접 제작한 프리미엄이었다.

"그것들은 위험하다. 근처에 동료가 있을 땐 함부로 사용하지 마라."

"알고 있다니까요. 어차피 이것들이 활약하는 땐 제 주위에 아무도 남지 않게 되었을 때니까."

에반은 폭탄들의 안전장치를 일일이 점검한 후 이것들도 마찬가지로 재차 분류하여 인벤토리 포켓에 넣었다.

이렇게만 해두면 그가 주머니에 손을 넣으며 원하는 것을 떠올리기만 해도 바로바로 꺼내는 것이 가능했다. 그야말로 게임 속 인벤토리보다도 편하게 말이다!

"그 외에 긴급 상황을 대비한 아이템들도…… 마법 밧줄, 공성 텐트, 미끼 인형, 몬스터 퍼퓸, 미라지 파우더…… 좋아, 전부 상태 양호하네요."

"던전 5층까지 공략하러 가는데 그만한 고급 아이템들을 가지고 가는 녀석은 너 이외엔 없을 게다."

"기왕 만든 거니까 써먹어야죠. 그리고 마지막으로…… 좋아, 배틀비드Battle Bead까지."

"정말 만들었구나, 그걸."

"물론이죠!"

연금술사는 어디까지나 앞으로는 나서지 않고 뒤에서 파티를 보조하는 후위직이다.

자신이 제작한 여러 가지 소모성 아이템으로 각종 난관을 보다 부드럽게 돌파하도록 하는 데에 무게를 두지만, 그렇다고 그 외의 상황에서 마냥 놀고만 있을 수도 없었다.

그래서 대다수의 연금술사가 자신의 몸을 지킬 겸, 파티를 보조할 겸 간단한 무기를 든다.

처음엔 새총으로 시작해 기술이 발전할수록 보다 정교하고 전문적인 기술을 필요로 하는 사출 무기가 완성되어 끝내 현대에 내놓아도 뒤지지 않을 멋진 저격총을 자가제작하기에 이르는데, 당연하지만 에반은 무기 성능을 무효화하는 장갑을 끼고 있으니 그것들을 들어봤자 의미가 없다.

'더구나 사실 총에도 적성이 존재한단 말이지.'

총에 대한 버나드의 적성? 말해 뭐하겠는가, 최상이다. 그러나 이전 새총을 자가제작해 집어본 에반은 고개를 절레절레 저을 수밖에 없었다. 이래서야 그냥 힘을 길러 투척하는 게 나을 수준이다.

그렇다. 그런 생각이 든 김에 에반은 자신의 힘을 살린 투척술을 익히기로 결심했다.

'투척은 맨손일 때도 아무런 위력 절감 없이 사용할 수 있는 기술이기도 하고, 급한 상황에도 손에 던질 것만 있으면 바로 써먹을 수 있다는 압도적인 범용성까지 갖추고 있어. 맨손 기술인 덕에 내가 착용한 장갑의 위력 강화 효과를 적용받는다는 건 덤이지. 무엇보다 원거리 기술이니까 상대적으로 안전해!'

그리고 여기서 바로 배틀비드의 개념이 등장한다. 본래 연금술사는 새총부터 저격총에 이르기까지 다양한 총을 개발하면서 당연히 탄환도 개발하게 되는데, 배틀비드란 바로 새총에 쓰이는 탄환을 이르는 것이다.

배틀비드는 무엇으로 만들었느냐에 따라 재질과 위력, 옵션이 달라진다. 게임 초기에 등장하는 단순한 돌로도, 게임 최후반부에나 등장하는 고급 보석을 가공해서도 만들 수 있으니 소재의 범용성과 발전성은 실로 무궁무진.

또한 배틀비드의 위력은 소재와 그것을 다루는 제작자의 연금술 능력에 따라 달라진다. 연금술사가 만든 배틀비드만 봐도 그 연금술사의 전투력과 수준을 측정하기는 어렵지 않다는 얘기다.

'그리고 이 배틀비드…… 실은 그냥 투척술로 던져도 제대로 된 효과를 볼 수 있거든!'

에반이 배틀비드를 만든 이유도 바로 그것이었다! 새총으로 쏘라고 만들어진 배틀비드를 투척술에 사용하기 위해서!

세상에 배틀비드를 맨손으로 집어던지고 다니는 연금술사의 얘기는 달리 들어본 적이 없지만 그런 사소한 점은 신경 쓰지 않는다. 신경 쓰지 않는다!

"제 투척술이 발전할수록, 제 레벨이 올라 힘이 강해질수록, 제 연금술이 성장할수록, 보다 강한 몬스터를 잡아 좋은 소재를 얻어 좋은 배틀비드를 만들수록 기술의 위력이 강해지겠죠. 어떡하죠, 할아버지. 이렇게나 제 능력을 완벽하게 살리는 전투기술이라니!"

"진짜 어떡하냐, 이놈아. 그렇게나 유감스러운 네 두뇌의 내용물을……."

투척을 할 필요 없이 그냥 주먹으로 패기만 하면 던전 5층까지는 순식간에 날아갈 텐데 굳이 힘든 길을 가고자 하는 제자를 이해할 수가 없어 연금술사는 그저 한숨을 내쉬었다.

물론 연금술사로서의 발전을 위해서라면 지금 에반이 택한 방식에도 어느 정도 고개를 끄덕여줄 수 없는 것은 아니었지만…….

"여차하면 그런 구슬 따위는 내던져버리고 네 주먹으로 때려라, 주먹으로. 알겠냐?"

"물론이죠. 아직 투척술은 제대로 수련도 안 해봤으니까 그래도 격투술이 투척술보단 나을 거예요. 하지만 조금만 시간이 지나면 달라질 겁니다! 이번에 던전에 다녀오면 투척술도 제대로 훈련할 거거든요!"

에반은 포션과 폭탄, 기타 소모품이 든 인벤토리 포켓을 우측에, 배틀비드만을 가득 담은 미니 포켓을 좌측에 매달며 후우, 만족스러운 한숨을 내쉬었다. 그리곤 버나드를 꼭 끌어안았다.

"저 다녀올게요."

"놔라, 이놈아. 뭔 걱정이 되어야 나도 눈물이라도 좀 글썽여보지, 지금 심정 같아선 양파를 내 눈에 가져다 문대도 눈물 한 방울 나올 것 같지가 않다."

"할아버지도 참."

에반은 버나드의 농담에 피식 웃으며 형제약국을 나왔다. 그곳에 그를 기다리고 있던 이들이 있었다.

아버지, 어머니와 형. 2부인과 엘리자베스는 물론이고 그를 가르쳤던 아이언윌 나이츠의 기사단장과 그 단원들도 있다. 지금이라도 그의 품에 안겨들 것처럼 눈물을 글썽이는 메이벨은 덤이다.

아직까지 귀로에 오르지 않은 국왕과 두 왕자, 어깨에 루비와 루시를 얹은 채 그를 반짝이는 눈으로 바라보고 있는 세레이나.

어제 그의 선언을 듣고 모여든 전투 길드의 간부들, 어제의 호평을 발판 삼아 왕도와 펠라티에 형제꼬치의 분점을 내기로 결정된 꼬치구이점 주인장, 형제약국의 직원들과 세르피나까지.

멜토 폰 펠라티 백작과 그 아들 크로우, 이미 던전 기사단의 예비 단원이 될 것을 선언해 셰어든에 남는 것이 결정된 아리샤…….

"도련님, 저흰 준비됐습니다."
"분부를 기다립니다."
"어디까지든 따르겠습니다. 에반 공자님."

그리고 그와 함께 던전에 들어갈 동료들, 샤인, 벨루아와 라이한. 전원 무장을 갖추고 대기한 모습이 너무나 늠름했다.

"좋아요."

에반은 자신이 구성한 드림팀을 보며 너무 눈이 부신 나머지 잠시 눈을 가늘게 떴다가, 이내 씩 웃으며 선언했다.

"던전에 들어가죠."

던전도시의 중심부에 위치하고 있는 초대형 던전 셰어든은 그 입구부터 무척 웅장했다.

대리석으로 뒤덮인 바닥과 드높은 천장, 복도 양옆 조각되어 늘어선 신의 조각상들을 보고 있으면 이곳이 던전의 입구인지 신전인지 헷갈릴 정도였다.

"그리고 이게……."
"응. 던전으로 향하는 입구지."

거대하고 압도적인 위용을 자랑하는 신전의 중앙에는 거대한 원이 그려져 있었는데, 그 안에 인간은 절대로 알아볼 수 없는 고대의 문자가 빼곡히 적혀 있었다.

그것은 마법진이었다. 신의 힘으로 구성된 마법진.

'던전의 몬스터가 마음대로 지상에 뛰쳐나올 수 없도록 신들이 힘을 모아 간신히 구축한 잠금장치. 던전역류가 그만한 규모에서 끝나는 것도 전부 이 마법진이 몬스터의 출입을 최대한 막아내고 있기 때문이지…….'

요마대전 시리즈의 던전의 배경에 대해 알고 있는 에반은 그것을 보며 어딘가 숙연한 마음이 일어 고개를 숙였다.

게임으로서 플레이할 땐 그저 기본적인 설정에 불과하다고 여겼던 것이, 실제가 되고 보니 그들이 인류를 위해 얼마나 노력을 했는지 깨닫게 되어 절로 신앙심이 솟구칠 정도였다. 물론 그렇다고 그들 중 한 명을 신앙하지는 않겠지만.

'지구와는 달리 신의 존재가 당연하게 여겨지는 이 세상에서, 과연 신앙이란 무엇을 위한 것인지 헷갈리게 된다니까. ……아니, 여기까지 하자.'

신학자도 아니고, 괜히 이 생각을 입 밖에 꺼내 이상한 눈총을 받을 생각은 없다. 에반은 후, 가벼운 한숨을 내쉬며 고개를 들었다.

라이한은 전신의 신상을 찾아 짧게 묵념하며 기도를 올리고 있었고, 벨루아와 샤인은 얌전히 바닥의 마법진을 노려보고 있었다.

"에반 공자님, 앞으로 늦어도 3분…… 아니, 2분 안에는 입장하셔야 합니다. 정말 죄송합니다, 다른 팀도 입장 대기 중이라……."

마법진을 관리하는 갑옷 차림의 기사가 에반에게 송구하다는 듯이 고개를 숙이며 말했다. 그 뒤에는 사제와 마도사도 한 명씩 대기하고 있었다.

마법진의 관리는 던전을 이용하는 모든 탐험가를 대상으로 적용하는 당번제로 실시된다. 거기서 두 명, 후작가의 기사를 한 명 더해 총 세 명이 꼬박 만으로 하루 동안 던전 입구를 지키고 있는 것이다.

"괜찮아요, 그런 법칙인 거 알고 있어요. 라이한 형, 기도 끝났어요?"

"이제 막 끝났습니다."

기도를 마친 라이한이 그들에게로 걸어오며 바이저를 열고 고요한 두 눈을 드러냈다.

놀랍게도 그는 방패술 수련을 위해 착용했던 방패 '에코 실드'와 훌륭한 풀 플레이트 아머처럼 보이지만 실은 방패로 취급되어 갑옷으로서의 역할은 전혀 해내지 못하는 '인비저블 실드'를 그대로 착용하고 있었다.

"형, 마지막으로 물어볼게요. 진짜 괜찮겠어요?"
"제 방패술로 이런 하층 몬스터의 공격조차 막아내지 못한다면 그건 제게 재능이 없다는 뜻입니다."
"하지만 던전에 도사린 위험은 몬스터뿐만이 아닌데."
"그것까지 포함해서 막아낼 줄 알아야 진짜 방패술의 수련자라고 자칭할 수 있겠죠."

아니, 그건 아닌데. 게임에 나오던 라이한은 갑옷도 겁나 단단했는데…… 아무래도 한창 좌절하고 있던 시기에 방패의 적성을 깨달은 탓에 라이한은 방패에 조금 지나치리만치 집착하게 된 모양이었다.
하지만 본인이 그렇게 생각한다면 말릴 필요까지는 없겠지, 에반은 생각했다. 던전에서는 스킬 수련에 보너스가 붙으니 그의 행동은 방패술의 수련만을 생각한다면 옳은 행동이었던 것이다.

'더구나 나도 던전에 대해서는 확실하게 파악하고 있으니까. 내 목숨 아끼려고 행동하다 보면 형이 위험해질 일도 자

연히 줄어들겠지. 더구나 형의 신성력이 어디 간 것도 아니니까.'

설마 인비저블 실드를 입고 그대로 던전에 들어가는 사람이 있다는 얘기는 과거에 들어본 적도 없지만, 지금 라이한의 실력으로, 더구나 거기에 샤인과 벨루아의 보조가 더해지는데 던전 5층까지 나아가며 죽는 일은 절대로 없다고 단언할 수 있었다.

'아, 절대로는 아니구나. 던전 3층에 정말 악질적인 공간이동 함정이 숨어있으니까…….'

에반은 3층에 들어가면 무조건 그 얘기를 해두자고 다짐하며 일행에게 손을 뻗었다. 벨루아가 그 손을 잡고, 그녀의 나머지 한 손을 샤인이 잡고, 샤인의 나머지 한 손을 라이한이 잡았다.

이렇게 서로 연결되어 있어야만 따로 떨어지지 않고 같은 장소에 전송될 것이다. 게임에서는 같은 파티로 묶여 있기만 하면 그게 되었는데, 당연하게도 이 세상엔 파티 결성 시스템이 없었다. 그 대신 손을 잡아 한 파티라는 사실을 증명하는 것이다.

"최대 도달 계층은 1층. 맞습니까?"

“네. 네 명 전원 셰어든 던전 입장 경험이 없습니다.”

“그렇다면 사전준비도 필요 없겠군요. 마법진은 전원을 1층으로 보내줄 겁니다. 올라서세요.”

이 마법진은 본래 1층부터 탐험가가 최대로 도달했던 계층까지 마음대로 이동할 수 있게 도와주는 만능기지만, 그들 넷은 던전에 들어와 본 적이 없기에 진입 시에는 1층으로 자동 고정이 된다.

“진입 장소는 완전히 랜덤입니다. 하지만 탐험을 하다 보면 아래층으로 내려가는 계단을 발견하실 수 있을 겁니다. 그것을 바로 계층의 클리어라고 부릅니다. 신께서 강림하시어 레벨의 축복을 주시는 것도 그때입니다.”

“던전 1층은 함정이 없지만, 부디 조심하시어 전진하시기 바랍니다.”

그래그래, 요마대전 2, 3, 4를 하며 수천, 수만 번도 넘게 들은 얘기다. 던전에 입장할 때마다 보조 NPC가 그 얘기를 해대니까!

이젠 외우는 것은 물론이고 랩으로 만들어 부를 수도 있을 정도였다. YO! 안전한 건 1층까지! 2층부터 눈 부릅떠 주위를 둘러봐! 함정이 내 발밑, 저승사자 내 목 뒤, 예이!

"가자."

에반은 나름 주의하여 되새김질을 하고 있는 일행을 끌어당기며 마법진 위에 발을 올렸다. 마법진이 눈부신 빛을 토해내며 일행을 집어삼키는 순간, 에반의 귓가에 이런 목소리가 들려오는 것만 같았다.

[얘 뭐야, 몰라, 무서워…….]
"응!?"
에반이 고개를 들었을 때, 그들은 이미 던전에 들어와 있었다. 사방이 어두컴컴하여 시야 확인도 힘든 상황이었지만 그것을 들어 알고 있던 라이한이 미리 투구에 부착해놓았던 마법 램프를 틀었다.

"정말로 던전에 들어왔네요. 이런 구조라는 것을 알고 있어도 역시 신기합니다."
"이곳이 던전……."
"후…… 아, 진짜 가슴 떨려 죽겠네. 라이한 형, 치유마법 빨리."
"너 아직 체력도 스태미나도 멀쩡하잖아."

일행은 방금 목소리는 전혀 듣지 못했다는 듯이 태연히 대화를 나누며 주위 경계를 시작하고 있었다. 이것도 물론 에반이 사전에 주지시킨 것이다. 훌륭한 자세라고 칭찬해줄 수 있는데, 그런데…….

'뭐야, 다들 못 들었나? 방금 분명히 들었는데, 무섭다고 하는 소리를.'

정확히 뭐가 무섭다는 것인지는 듣지 못했다. 하지만 에반의 전생의 기억이 정확하다면 방금 그것은 신의 목소리다. 게임을 플레이하며 들어본 기억이 있는 음성이었다.

그러나…… 그것은 본래 원칙적으로 어긋나는 일이었다. 던전에 들어온 탐험가가 신의 목소리를 짤막하게나마 직접 듣게 되는 것은 던전의 한 층계를 클리어했을 때뿐인 것이다.

여기에서 예외가 되는 이가 있다면 단 두 명뿐.

'요마대전 3과 4의 주인공뿐인데.'

미래를 한정적으로 내다볼 줄 아는 신들은 그들이 세계의 운명을 짊어지고 있음을 짐작하고 있으며, 어떻게든 그들의 힘을 북돋워주고 싶어 한다.

그래서 요마대전 3과 4의 주인공은 처음 던전에 들어올 때를 시작으로 매번 던전에 들어올 때마다 신들의 응원 메시지를 듣게 되는데, 플레이어들은 농담 삼아 이것을 로그인 메시지라고 불렀다.

그것은 패턴도 있고 스토리 진행에 따라 메시지 내용이 달라지기까지 해 메시지를 수집하는 재미도 있었다. 에반도 전생에는 598개까지 수집해봤다.

'……그런데 그 로그인 메시지가 왜 나한테 들려와?'

혹시나 자신과 함께 있는 이들이 하나같이 주인공에 비견되는 자들인지라 그들에게도 함께 그런 목소리가 들려왔나 했는데 아무리 봐도 그런 것 같지는 않다. 그래서 에반은 더욱 어이가 없었다.

'이 드림팀을 놔두고 왜 나한테 메시지를 보내는 거야. …… 송신 불량인가?'

그게 아니라면 혹시 에반이 전생의 기억을 자각했다는 것에 대해 알고, 그래서 뭔가 의도를 담아…….

에반은 거기까지 생각을 하다 말고 고개를 휘휘 저어버렸다. 그 이상은 지금 생각해봤자 의미가 없었다.

'직접 물어보지 뭐.'

던전을 깊숙이 내려가게 되면 신과 대화할 기회가 생긴다. 어차피 에반은 자신의 능력이 되는 한도 내에서 던전을 최대한 깊이 클리어해둘 생각이었으니 언젠가는 신들과도 직접 조우하게 되는 날이 올 터였다.

"아, 다들 전투 준비. 저 어두운 길모퉁이 뒤에서 인기척이 접근해오네요. 넷 정도? 1층에 등장하는 몬스터는 고블린밖에 없지만 그래도 몬스터니까 다들 긴장하도록."
"어…… 어떻게 아셨어요?"
"그냥, 감으로."

에반은 황당해 묻는 샤인에게 어깨를 으쓱이며 답했다. 사실 존재레벨이 오르는 것과 동시에 오감도 뚜렷해져서, 이젠 이 정도는 새삼스럽게 느껴지지도 않았다.
그러고 보면 이게 던전 탐험에도 도움이 되는구나, 하는 생각이 이제야 들 정도였다.

[키히…….]
[키익, 키르륵.]

에반 일행이 전투태세를 취하는 것을 보고 들켰다는 사실을 깨달았는지 곧 몬스터들이 골목 어귀에서 모습을 드러냈다.
삐뚤빼뚤한 나무 방망이로 무장한 네 마리의 고블린. 정말로 머릿수까지 맞힌 것이다.

"원거리 공격은 없어. 1, 2층에는 아처—활잡이—가 나오지 않거든. 하지만 첫 실전이니 결코 긴장을 풀어선 안……."

에반은 고블린들의 모습을 발견한 순간 빠르게 파티원들에게 지시를 내리다 말고 그만 입을 다물었다.

그러고 보면 게임 속에서나 질리도록 잡았지, 실제로 고블린을 본 것은 에반도 처음이었던 것이다. 그런데 어째서 긴장이 하나도 되지 않는 것일까.

어째서지? 이미 슬라임을 잡으면서 익숙해져선가? 아무리 그래도 슬라임과 비교를 하는 건 고블린에게 미안한 일 같은데…….

"도련님?"

"아, 아냐. 바로 전투 개시. 셋의 전투 방법에 대해서는 이미 충분히 숙지하고 있으리라 믿어."

어쩌면 게임 속에서 에반이 그렇게 천방지축으로 까불던 건 선천적으로 담이 커서였나? 이거 오래 살기엔 별로 안 좋은 성질인데……. 에반은 머릿속으로 그런 고뇌를 하면서도 파티원들에게 전투 명령을 내렸다.

그 말을 듣자마자 잽싸게 방패를 앞으로 내세우며 전진하는 라이한과, 그런 라이한의 근처에서 사뿐사뿐, 발소리조차 내지 않고 보조를 맞추어 전진하며 양손의 단검을 역수로 쥐는 샤인.

"우린 항상 저들과 적당한 거리를 두는 거야, 루아. 전투에 직접적으로 휘말리지 않을 정도로 떨어진 거리면서, 서로에게 무슨 일이 있을 경우 즉각 원조할 수 있을 만큼 가까운 거리를. 그 거리를 파악하며 행동하는 게 중요해."

"알겠습니다."

한편 후위에 속하는 에반과 벨루아는 그들의 뒤를 일정한 거리를 두고 쫓았다. 이것이 바로 던전에서의 기초적인 진형이다.

전위는 후위를 보호하고, 후위는 전위를 보조한다. 특히 이 거리를 잘못 재면 금세 후위가 전멸하거나 전위의 움직임이 꼬일 수가 있어 생각보다 굉장히 중요한 요소였다.

'물론 게임과 현실이라는 차이는 있지만…… 이건 현실에서도 충분히 반영되는 요소일 테니까.'

에반이 벨루아에게 적당한 거리의 개념에 대해 일러주며 자리를 잡을 즈음, 전위는 네 마리의 고블린과 전투를 벌이기 시작했다.

그리고 전투가 끝났다.

"……엥, 벌써 끝났어?"
"네, 도련님."

샤인이 고블린들의 피가 묻은 단검을 들어 올리며 살짝 난감한 표정을 지었다. 단검 한 번 내뻗을 때마다 한 마리씩, 고작 네 번의 움직임으로 네 마리의 고블린을 전부 정리한 것이다.

"그게, 도련님, 얘네 너무 약한데요……? 단검에 닿자마자 픽픽 쓰러지는데."
"어, 음……."

게임에 적용되던 스킬 수련의 꼼수를, 어린 시절부터 최대 효율로 이용하여 맹훈련한다는 것.
그것이 얼마나 끔찍한(던전 입장에서) 결과를 낳는지 에반은 아직까지 이해하지 못하고 있었던 것인지도 모른다.

"음, 그래, 내 생각대로야. 네가 쌍단검술을 훈련한 지 몇 년인데, 아무리 신인족이 약해도 고블린 정도로 고전하면 안 되지. 처음부터 전투는 별문제가 아니라고 했잖아?"

하지만 에반은 마치 당연히 이럴 줄 알고 있었다는 듯이 행세했다! 샤인의 능력에 전혀 놀라지 않은 것처럼, 마나조차 불어넣지 않은 쌍단검 평타에 스치기만 해도 고블린이 죽어나가는 게 당연한 일인 것처럼!

"역시 그렇죠? 문제되는 건 제 스태미나이니까……. 알겠습니다. 앞으로도 체력 분배에 주의를 기울이겠습니다."

"그래. 던전에서는 지치지 않는 게 가장 중요해. 언제 어떤 이상 사태가 발생해도 대처할 수 있게 해야 하니까. 그런 의미에서 다음 전투에서는 라이한 형과 루아의 비중을 늘려보자. ……아, 그리고 나도."

너희가 다 잡아버리면 내 클리어 공헌도가 부족해져서 레벨 업을 못 하게 되니까 말이야!

에반은 몇 번의 전투를 더 치러보며 샤인의 능력과 스태미나를 판단한 후, 냉정하게 결론을 내렸다.

이 녀석은 존재 자체가 밸런스 붕괴라고.

"샤인 너 원래 그렇게 강했냐!?"

"도련님이 그렇게 말씀하시면 비꼬는 걸로밖에 안 들리는데요."

"거짓말하지 마. 너 임마, 나랑 싸울 땐 훨씬 약한 척했잖

아. 이제 보니까 나 다칠까봐 배려해줬던 거구나? 역시 요마대전 톱랭커 사일런트 나이트는 싹부터 달랐던 거야……!"

뭐라 지껄이다 말고 멋대로 감동하는 에반을 보며 샤인은 어이가 뇌를 탈출하기 직전이었다. 뭐, 에반과 싸울 때 약한 척을 해? 젖 먹던 힘까지 짜내서 싸워야 간신히 그 무서운 주먹 한 방이라도 피할 수 있는데?

이건 뭐 말이나 되는 소리를 해야지, 에반 자신이 약하다는 착각만 바로잡으면 모든 문제가 해결될 텐데! 하지만 아무리 말해도 들어먹지를 않으니 어쩔 수가 없다!

"다른 건 다 그렇다 치고 그 사일런트 나이트라는 건 뭡니까, 되게 신경 쓰이네."

"그런 게 있어. 게다가 네 스태미나도 내 생각보다 훨씬 좋잖아. 지금까지 숨 한 번 안 흐트러지고."

"사일런트 나이트 엄청 신경 쓰이는데…… 큼, 전투가 뭐 힘이 들어야 숨이 흐트러지지 않겠습니까. 느려터진 놈들한테 그냥 다가가서 단검만 쓱 그으면 쓰러지는데. 연습할 때야 매 순간 치열하게 몸을 움직였으니까 금방 제 한계가 드러났지만요."

"그러고 보니 그도 그렇네……."

에반은 진지하게 고뇌했다. 이 녀석, 진짜 던전 안 들어갔어도 괜찮았던 거 아냐? 여태까지 했던 수련들의 약빨이 조금 과했던 것 같은데……. 실은 얘 신인족 아닌 거 아냐!?

"이래서야……."

라이한이야 처음부터 계속 고블린들의 어그로를 끄는 역할을 맡았으니 별문제 없겠지만, 이러다간 정말로 계단을 발견할 때까지 에반의 클리어 공헌도를 채우지 못할 가능성도 있었다.

어디 에반뿐인가? 아직 벨루아도 제대로 마법을 써보지 못했다. 던전에 들어와 그녀가 구사한 마법이라곤 과거 그녀가 옥염구로부터 습득한 액티브 스킬 '여우불'뿐이었다.

"……아직 여우불의 방어능력도 제대로 확인해보지 못했습니다."
"그게, 미안하다."

조금 허무한 투로 말하는 벨루아에게 에반이 뻘쭘해져 사과했다.

여우불이란 시전자의 주위를 떠도는 작은 불꽃을 만들어내는 능력인데, 평상시 이것은 자율의지를 갖고 움직이며 시전자를 보호하다 시전자의 의지에 따라 가까이에 있는 적을 공격하기도 하는 핀판넬……이 아니라 자율 공방 유닛 소환 마법이라고 할 수 있었다.

'솔로잉을 하는 마법사 플레이어라면 누구나가 절실히 원하는 스킬. 초반에 익혀서 성장시키면 후반부까지도 진짜 유용하게 써먹을 수 있는 보조 스킬이었지.'

자위수단이 없으면서 동시에 불 속성 친화력이 높은 벨루아에게는 실로 적격이라 여겨 배우게 했고 그동안 수련도 잘 해왔는데…….

정작 이 마법의 효능을 시험해볼 틈이 없었다. 무슨 몬스터가 위협이나 되어야 말이지! 라이한이 전부 끌어당기고 샤인이 쓱싹 베어버리니 몬스터가 벨루아에게 한눈을 팔 틈조차 없었다!

"루아, 계속 여우불을 켜놓고 있었는데 마나는 괜찮아?"

"도련님도 아시다시피, 여우불은 적극적으로 움직이지 않는 상태에서는 마나 소모가 거의 없습니다. 마님과의 마력 수련 덕에 그 정도 마력은 자연회복이 됩니다."

"……그, 그래."

에반은 벨루아의 대답을 들으며 살짝 불안해졌다. 물론 여우불의 평상시 마나 소모량이 적다는 것은 그도 알고 있다. 벨루아에게 여우불이 적합하다고 여겼던 것도 그 이유가 가장 크다.

다만 샤인의 경우를 보고나니 어쩔 수 없이 이런 생각이 드는 것이다. 혹시 벨루아의 능력도 말도 안 되게 뻥튀기되어 있는 것은 아닐까.

더구나 벨루아는 어머니와 함께 무슨 마녀수행이라는 것까지 했는데, 그걸 감안하면 어쩌면 샤인보다도 능력이 사기적인 것은 아닐까.

'아니, 설마. 그건 말도 안 되지.'

에반은 자신이 떠올린 생각을 고개를 저어 스스로 부정했다.

던전 5층을 돌파하기 전까지의 신인족이라는 족쇄는 그리 만만한 것이 아니니까. 당장 그도 전생에 신인족인 요마대전 4의 주인공으로 던전을 돌파하면서 겪어보지 않았던가?

체력과 마력이 항상 부족하여 뭘 해보려고 하기만 해도 체력이 부족해 죽어, 마력이 부족해 기술을 못 써서 맞아 죽어, 키보드로 모니터를 부수고 싶어졌던 그 무수한 순간들을!

아무리 보조 스킬들을 익혀 메꿨다고 해도 메울 수 없는 절대적인 간극이라는 것이 존재할 터다!

'아무리 쌍단검술 수련이나 램프 수련이 사기라고 해도 그것만으로는 체력과 마력의 절대치를 크게 높일 수 없거든. 한

계가 있는 법이야.'

샤인이야 쌍단검술 수련으로 공격력을 극단적으로 높여 스태미나가 줄어들기도 전에 고블린을 사냥하고 있으니 멀쩡해 보이는 것일 뿐, 벨루아는 적극적으로 전투에 참여하기 시작하면 마력의 한계가 극명히 드러날 터다.

……그럴 터다.

"바턴 터치다. 라이한 형은 여태까지처럼 어그로를 끕니다. 대신 몬스터를 공격하는 건 루아가 해. 샤인은 그런 루아를 호위해줘."

"그놈의 공헌도."

샤인은 투덜거리면서도 고개를 끄덕여주었다. 그렇게 진형은 그대로지만 전투 방식에 있어서는 제법 변화를 준 에반 파티는 그대로 던전을 전진하기 시작했다.

"음……."

그로부터 30분이 지났다.

에반은 얼어붙거나 바싹 타버린 고블린들의 시체를 오연하게 내려다보며 얼음장 같은 표정을 짓고 있는 벨루아에게 일단 예의상 물어보았다.

"루아, 괜찮아? Mp 떨어지는 것 같지 않아? 막 소름이 돋는다거나, 심장이 조이는 기분이 든다거나."

"전혀 없습니다. 괜찮습니다, 도련님. 그저 기초적인 화염과 얼음을 다루었을 뿐입니다. 마님과의 마력 수련 덕에 이 정도 마력은 자연회복이 됩니다."

"그것도 자연회복이 되는 거야!? 마법을 그렇게 쏟아내고 있는데!? 아니…… 잠깐만, 그게 기초야!?"

"예. 마녀수행은 얼마나 효율적으로 마법을 구사하느냐, 내보낸 마나를 얼마나 안정적이고 빠르게 회수하느냐에 중점을 둡니다."

대답이 되는 듯하면서 전혀 안 되는 것 같은데! 하지만 한 가지는 확실하다. 이 녀석들은 신인족이면서 신인족의 한계를 뛰어넘어버렸다.

이미 충분히 강자다! 그들은 자신의 약점을 파악하고 그것을 보완하는 데 성공한 것이다……!

"도련님, 혹시 문제가 된다면 죄송합니다."

"아니, 문제가 될 건 없어. 전혀 없어. 너희가 내 생각보다 더 대단해서…… 더 뛰어나고, 더 노력을 열심히 했다는 것을 알게 되어서 조금 놀랐을 뿐이야."

"도련님……."

"좋아, 이 정도 계산 착오는 기꺼이 받아들일 수 있어. 계획을 보다 나은 방향으로 수정할 수 있겠는데."

샤인과 벨루아의 전력을 명확히 파악한 에반은 더 이상 망설이지 않기로 했다. 혹시나 혹시나 했는데, 이 드림팀이라면 정말로 가능할지도 몰랐다.

라이한의 실력? 굳이 더 확인할 필요가 없다. 여태까지 고블린들이 라이한 말고 다른 멤버한테 눈길을 준 적조차 없는데! 그는 이미 처음부터 완벽한 탱커였다!

"보다 나은 방향……?"

"응. 다들 들어본 적이 있을 거야. 던전에서 멋진 활약을 하면, 멋진 결과가 뒤따른다는 말."

"도련님이 기사단장님한테 말씀하실 때 옆에서 들었습니다."

"저는 샤인에게 들었습니다."

이 녀석들이 매일 에반에게만 달라붙어 다닌다는 것을 잊고 있었다. 에반이 한숨을 쉬고 있는데 옆에서 간신히 그럴 듯한 의견이 흘러나왔다. 바로 라이한이었다.

"전투 길드에 있는 사람들이 그런 식의 말을 하는 것을 들은 적이 있습니다. 따지고 보면 도련님께서 말씀하시는 '클리어 공헌도' 또한 그와 비슷한 개념이 아닙니까? 던전에서 합당한 업적을 세우지 못한 자는 다음 층계로 내려가도 레벨이 오르지 않는다는…….”

“맞아요, 정확해요. 그 논리와 같아요.”

던전은 무턱대고 아래로 파고든다고 해서 강한 힘을 얻을 수 있는 곳이 아니다. 그 안에서 무슨 일을, 어떻게 했느냐가 중요하다.

그것은 가장 확연하게는 클리어 공헌도와 같은 개념으로 드러나지만, 그 이상의 영역 또한 존재했다.

“단순히 던전을 클리어하는 데서 그치지 않고, 그 이상의 업적을 이룩한다면. 당연히 멋진 결과가 따라오겠죠. 우리도 그걸 목표로 해봐요.”

“혹시 던전레벨이 추가로 오릅니까!?”

“그럴 리가 없잖아. 가장 대표적인 예 몇 가지를 들어주면…… 신의 힘으로 기술이 새로운 경지로 나아간다. 혹은 새로운 기술이나 마법을 얻는다. 혹은 새로운 직업을 얻는다.”

“도련님이 익히고 계신 그 무서운 기술 말하는 거죠?”

“이건 별로 안 무서운 거잖아. 아무튼 그래, 그런 거. 그런 걸 얻을 확률이 높아지지.”

그러나 방금 에반이 든 예시는 어디까지나 복권 당첨 같은 것이다. 천중 또한 에반이 보기엔 그렇게까지 대단하지는 않지만 어쨌든 격투술의 고위 등급 기술. 그런 귀한 스킬이 아무 데서나 툭툭 떨어질 리가 없는 것이다.

즉 스킬의 성장이나 새로운 직업과 같은 극적인 요소는 탐험가의 노력에 더해 상당한 운, 타이밍이 맞아떨어져야만 얻을 수 있었다.

"하지만 특수한 업적을 달성했을 때 거의 무조건 얻게 되는 보상도 있어. 예를 들면…… 운이 좋아지는 거지."

"아니, 그게 뭡니까."

"진짜야. 운이 명백히 좋아져."

이렇게 에반이 단언할 수 있는 이유는 물론 게임 내에서 그 사실을 로그로 확인할 수 있었기 때문이다. 그러니 의심의 여지가 없을 수밖에.

던전을 빠른 시간 내에 클리어했다거나, 많은 몬스터를 잡았다거나, 한 층을 클리어하는 동안 내내 포션을 마시지 않았다거나, 치료마법을 구사하지 않았다거나 하는 특수한 업적을 자잘하게 달성할 경우 레벨이 오르는 것과 함께 '작은 축복'이 함께 내려지는 경우가 많았다.

"전부 시간제한이 붙기는 하지만, 그동안은 몬스터에게서 얻을 수 있는 경험치가 늘어난다거나, 마나 회복 속도나 체력 회복 속도가 빨라진다거나, 이동속도 혹은 공격속도가 빨라지거나, 스킬 쿨타임 딜레이가 줄어든다거나, 아이템 드롭률이 상승한다거나, 금전운이 좋아진다거나, NPC 호감도를 쉽게 올릴 수 있게 된다거나…… 음, 이건 그러니까 연애운이네.”

“……연애운.”

벨루아가 나지막이 중얼거렸다. 아무래도 흥미가 동한 모양이다. 에반은 씩 웃으며 말을 이었다.

“원래는 5층까지 최대한 안전하게 진행하는 걸 목표로 삼았지만, 우리 전력을 확인한 지금 그러는 건 바보짓이지. 1층에서부터 취할 수 있는 걸 모조리 취하면서 내려가는 게 나중에 보다 안전해질 수 있는 길이라고 생각해. 던전을 조금 더 빠르게, 과감하게, 구석구석 뒤지는 거야.”

“도련님 생각대로 하시죠.”

“따르겠습니다.”

“공자님의 판단은 틀린 적이 없습니다. 이번에도 그럴 겁니다.”

“…….”

그러고 보면 이 녀석들은 뭘 설득할 것도 없이 그냥 에반의 뜻대로 움직여주는 이들이었다. 물론 그게 고맙긴 했지만 그럼 여태까지 힘들게 설명한 건 대체 뭐였을까, 하는 기분이 들지 않는 것도 아니었다.

"그러니까 앞으론 길게 설명할 필요 없이 그냥 해야 할 일을 말씀해주시기만 하면 됩니다. 우린 그대로 할 테니까요."

"……그래, 내가 꼭 그렇게 할게."

굉장히 충성스러운 발언일 텐데 이렇게나 띠껍게 들리는 것은 에반의 마음이 썩었기 때문이겠지, 분명 그렇겠지. 에반은 이를 뿌득 갈며 종이를 들어 올렸다.

그것에는 마치 게임의 미니맵처럼 몇 개의 길이 간략하게 그려져 있었다.

"……지도?"

"맞아. 마냥 놀고 있을 수가 없어서 대충 만들었어. 우리가 온 길만 그려낸 거지만."

"아니, 이건 대충이 아닌데요……."

연금술을 하다 보면 필연적으로 관찰 능력이 발달하며 또한 직접 스케치를 하게 되는 일도 많은데, 이 두 가지 능력을 결합하면 제법 그럴듯한 지도 작성 능력을 획득할 수 있다.

에반은 그 능력을 살려 던전에 들어온 순간부터 대략적인 던전맵을 작성하고 있었다. 던전 통로, 갈림길, 몬스터와 조우한 위치 등등 필요한 정보만을 깔끔하게 요약해 스케치한 지도는 보는 이로 하여금 절로 감탄이 나오게 했다.

“제가 지도에 대해 잘 모르긴 하지만 대충이라고 할 만한 것은 아닙니다. 대단하군요. 이게 있으면 적어도 왔던 길을 잃고 헤매는 일은 없겠습니다.”

“뭐, 그렇죠.”

실은 그것뿐만이 아니다. 전생에서 죽기 직전까지 요마대전 3를 플레이했던 덕분에 에반은 던전의 전체 맵을 대충 파악하고 있었을뿐더러 그것 대부분을 자신의 설정집에 그려 넣기도 했다. 당연히 던전 1층의 전체 맵도 알고 있다.

물론 지금의 셰어든 던전과 요마대전 3 본편의 셰어든 던전이 동일한 내부 구조를 가진, 즉 그사이에 대변화를 거치지 않은 같은 던전이라는 것 정도는 미리 파악해두고 있었다.

‘따라서 던전의 일부를 정확히 스케치한 지도가 있으면, 그걸 던전 1층의 전체 맵과 대조해 우리의 정확한 위치를 파악할 수 있게 되겠지.’

그리고 그게 확보되면 명확히 파악할 수 있게 된다. 셰어든 던전의 1층에 숨겨진 요소, 그것들의 정확한 위치를.

금화가 숨겨진 바위, 누르면 몬스터가 대량으로 튀어나오는 석벽, 막다른 길에 작게 숨겨진 방, 쉼터…….

‘요마대전 3의 주인공으로는 아무리 준비를 다져서 와도 기

초자본, 시간 부족, 인력 부족 문제 때문에 모든 요소를 클리어하는 건 무리였는데.'

그래서 아이러니하게도 던전은 저층일수록 업적 획득 난이도가 높다. 던전에 떨어진 위치가 운이 좋아야만 한두 개 달성 가능한 수준이 아닐까?

하지만 지금의 드림팀이라면, 어쩌면!

"그럼 바로 출발하죠. 아, 그리고……."

에반은 절대로 잊지 말라는 듯이 샤인과 벨루아에게 신신당부했다.

"다음 전투는 내가 투척으로 잡을 거니까 너희가 나를 보호해줘야 한다."

"……."

"네, 도련님."

샤인은 그저 입을 다물며 한심하다는 듯이 그를 바라보았고, 벨루아는 충성스럽게도 대꾸해주었다.

라이한은 그냥 방패를 들었다. 역할이 바뀔 일이 없어 참 편하다고 그는 생각했다.

투척 스킬은 맨손으로 행하는 스킬이고, 따라서 격투술 스킬과 마찬가지로 적성이 필요하지 않은 스킬이다. 타고난 센스에 따른 차이는 있겠지만 익히고자 하면 누구나가 극의에 이를 수 있는 스킬이라는 뜻이다.

……과연 이런 볼품없는 스킬을 극의까지 수련하고자 하는 사람이 있을까, 그것은 조금 의문이었지만 말이다.

"준비하시고…… 쏘세요!"

에반이 던진 배틀비드는, 아직 투척 스킬이 제대로 생성되지도 않았음을 증명하듯 목표를 벗어나도 한참 벗어난 곳에 착탄했다. 그러나 에반의 괴력이 어디 가겠는가?

직선으로 무슨 레이저 나가듯이 내쏘아진 배틀비드는 그들을 향해 전진해오던 고블린 무리를 가로막듯이 그 바로 앞 벽에 깊숙이 박혀 끔찍한 진동과 함께 벽에 금을 가게 만들었고, 고블린들이 겁에 질리게 만들기에는 그것으로도 충분했다.

[끼, 끼익!]
[마법이다!]
[무서운 인간이다!]
"칫, 다시!"

이럴 줄 알았으면 던전에 들어오기 전에 투척도 연습해두는 건데, 다른 할 일이 너무 많아 여태껏 방치해두었더니 낭패를 보게 된 것이다.

에반은 이제부턴 체력단련 시간을 줄여서라도 투척을 부지런히 수행하자고 다짐하며 제2탄을 내던졌다.

고블린들이 제자리에서 벌벌 떨고 있던 덕분이었을까, 이번엔 다행히도 무리의 선두에 있던 고블린의 복부에 명중했다!

[캬!]

[끼아악!]

끔찍한 굉음과 함께 그놈의 몸이 산산조각으로 터져나가고, 뒤에 있던 고블린들까지 배틀비드가 낳은 충격파의 여파에 몸이 갈가리 찢겨나가 죽었다. '원샷올킬'이었다.

"……응?"

에반은 방금 자신의 행위가 낳은 결과물을 믿지 못해 두 눈을 깜박였다.

어라, 물론 목표물에 닿으면 폭발하는 배틀비드도 있지만 방금 던진 건 그냥 평범한 쇠구슬이었는데? 그런데 왜 고블린이 터지지? 충격파는 또 뭐지?

"도련님 힘이 그만큼 세서 그런 거죠, 뭐긴 뭡니까. 이젠 슬슬 현실을 인정할 기분이 드십니까?"

"으, 으음."

사실 그는 3년간 꾸준히 슬라임 수련을 했으니 고블린 정도는 자신도 쉽게 사냥할 수 있으리라 생각하고 있었다. 그게 안 되어서야 억울해서 밤에 잠도 못 잘 것이다.

……단지 충격파에 나머지 고블린들까지 죽어나간 게 놀라웠을 뿐이다.

"그래, 슬라임 수련이 효과가 있었어. 내 존재레벨이 그동안 제법 오르긴 했나 보다."

"제법 정도가 아닐 텐데요."

에반은 잠시 고민했지만 고개를 끄덕였다. 애초에 그는 현실부정을 하고 있던 것이 아니라 진심으로 자신이 약하다고 생각하고 있었던 것이었으니 눈으로 직접 보게 된 결과까지 부정할 생각은 없었다.

"그래도 충격파에 터져나갈 정도면 여기 던전의 고블린이 이전에 비해 약화된 게……."

"절대 아닙니다, 공자님."

"그, 그래. 그럼 이제 내가 고블린을 쉽게 잡을 정도는 되나 보다."

에반이 드디어 자신의 무력을 극히 제한적으로나마 납득했다! 나머지 일행은 고블린이 아니라 고블린 로드라도 쉽게 잡을 수 있지 않을까, 생각했지만 물론 아무 말도 하지 않았다.

"그러면 몇 번만 더 내가 고블린을 사냥하고, 그다음부터는 당번을 바꿔가며 고블린을 사냥하는 걸로 하자. 그게 다들 스태미나와 마나 관리를 하는 데에도 좋을 거야. 다만 라이한 형은 꾸준히 어그로를 담당해야 하는데……."

"샤인이라면 몰라도 공자님이나 벨루아가 나서면 제가 뭘 할 것도 없이 전투가 끝나는데, 스태미나가 떨어질 틈이 없습니다."

"좋아, 그러면 전투는 그렇게 하는 걸로 하고……."

에반은 방금 고블린들이 튀어나왔던 통로까지 탐사해 얻은 정보를 자신이 그리던 지도에 쓱싹 그려내 추가하고는, 그것을 원래 자신이 갖고 있던 던전 1층의 지도와 대조했다. 이내 그의 입가에 미소가 떠올랐다.

"운이 좋았네. 현재 우리 위치를 찾아낸 것 같아. 이제 우린 1층을 정복한 거나 마찬가지야."

"던전 전체 지도라니, 그런 건 고위 전투 길드에도 없을 텐데 대체……."

"아직 멀었구나, 샤인. 공자님은 알고 계시는 게 당연하다.

그게 공자님이야."
"형, 사제직 박탈 안 당하게 조심해요."
"이미 박탈당했으니까 괜찮아."

샤인과 라이한이 부질없는 대화를 나누는 사이 지도를 살피던 에반이 금세 지도 위에 최적의 경로를 그려냈다.

그 넓은 왕도에서도 이동 경로를 짰는데, 던전이 아무리 넓어도 에반 손에 걸리면 고작 1분이면 끝이었다.

"이대로 움직이면 됩니다. 1층은 함정이 없으니까 그냥 달려서 가죠. 그래도 경계는 확실히. 다들 몬스터 보이면 즉각 보고하고."
"어차피 저희가 발견하는 것보다 도련님이 발견하시는 게 빠르지 않습니까."
"여태까지는 그냥 운이 좋았을 뿐이라니까."
"……."

혼자서 던전 지도도 작성하고, 혼자서 투척으로 고블린 무기를 전멸시키고, 혼자서 척후도 하고, 아마 탱킹도 충분히 혼자서 해내고 함정도 혼자서 발견해 없앨 것만 같은 에반을 보며 일행은 동시에 생각했다.

'대체 지금 누가 누굴 지키고 있는 거지……?'

❋❋❋

그 순간부터 일행은 정말로 던전 안을 내달리기 시작했다. 이미 던전에 처음 들어왔을 때의 두근두근함, 미약한 공포감과 긴장감, 설렘은 사라지고 없었다.

그저 에반이 목표로 하는 지점으로 최선을 다해 빠르게 이동하고자 하는 목표의식만이 남아있었다.

"내가 누누이 말하지만 2층부터는 함정도 있으니까 이렇게는 안 된다."

"아뇨, 제가 장담하는데 분명히 2층도 이렇게 될 겁니다. 도련님이시라면 분명히 그렇게 만들 거예요."

"음……."

샤인의 옆을 나란히 내달리며 말하던 에반은 그의 칼날 같은 태클에 잠시 고민하며 생각했다.

2층부터 함정이 나온다고는 하지만 그래 봤자 저층의 함정인데 뭐 얼마나 대단하겠는가. 도둑 계열 직업이 갖는 함정 탐지 스킬이 없더라도 한눈에 알아볼 수 있을 만큼 변변찮은 것들뿐이었다.

'그리고 연금술 스킬을 성장시켜도 분명 함정을 탐지할 수 있게 됐었지. 요마대전 2에서 도둑을 파티에 영입하지 못하면 버나드로 어떻게든 할 수 있었으니까……. 그래서 레오와 버나드 둘만 가지고 라스트 보스까지 깨는 것도 가능했고.'

정말 그래도 될지도 모르겠다. 하지만 에반은 그럼에도 불구하고 고개를 저었다. 자신은 버나드가 아닌 것이다.

"안 돼. 우리는 안전주의로 간다. 빨리 깨기 업적은 다음 층부터는 포기할 거야."
"그야 지금은 그렇게 대답하시겠죠."

샤인은 죽은 눈으로 대답했다. 그러던 중 에반이 발걸음을 멈추었다. 막다른 길이었다. 그리고 던전의 숨겨진 요소가 있는 곳이기도 했다.

"여기 옆에 보면…… 찾았다. 에잇."

귀여운 기합과는 달리 에반이 아무렇게나 휘두른 주먹이 '쾅!' 소리를 내며 막다른 길의 왼쪽으로 나 있는 벽을 강하게 두들겼다.

"오, 오오……?"

그러자 친 것은 옆쪽 벽인데 신기하게도 그들 눈앞의 벽이

스르르 무너져 내리고 뻥 뚫린 복도가 모습을 드러냈다. 처음부터 그런 구조물인 것이다.

더욱이 저 너머, 희미하게 불빛이 비치는 것이 보였다. 단순한 복도가 아닌, 특정한 목적을 갖추고 구축된 던전의 '룸'. 그 안에는 보물이 있든, 함정이 있든, 몬스터가 있든, 셋 다 있든 하여튼 뭔가가 분명히 있다.

드디어 던전다운 요소가 보이기 시작한 것이다.

"일단 비밀 하나 발견. 오, 이상하게 깨끗한 걸 보면 여태까지 발견자가 하나도 없었나 봐, 그럼 우리가 최초 발견자인 건데……. 복도 끝에 있는 룸 안에 고블린 열 마리하고, 고블린 파이터라고 엘리트 한 마리 있으니까 나랑 루아가 먼저 공격을 해서 숫자를 조금 줄여놓고 전투를 개시할 거야."

"알겠습니다."

벨루아는 샤인의 부름에 얌전히 그의 옆으로 다가오며 무음으로 주문을 영창했다. 그녀의 머리 위로 날카로운 얼음 결정 다섯 개가 피어나는 것을 보며 에반은 새삼 놀라웠다.

'이미 얘기를 듣긴 했지만…… 대체 게임에선 불꽃밖에 다루지 않던 그녀가 어떻게 얼음까지 다루게 된 걸까.'

적성이 있었더라면 게임에서도 그것을 다루는 모습이 나타났어야 정상이 아닌가. 그런데 지금 모습을 보면 그녀는 불꽃에 뒤지지 않게 얼음도 무척 능숙하게 다루고 있었다. 두 속성의 적성이 모두 최상이라는 얘기다.

어쩌면 그것이 마녀수행의 힘일까? 그것까지는 에반도 알 수 없었다. 단 반대되는 속성을 동시에 다룬다는 것이 얼마나 어려운지 마법사를 키워보며 알게 된 그의 입장에서는 언제 봐도 놀라운 광경이 아닐 수 없었다.

"어쨌든 좋아, 천천히 진입하자."

"예."

공격을 하는 것은 에반과 벨루아라도 이런 때 앞장을 서는 것은 역시 라이한이었다. 그가 방패를 전면에 내민 채 빠르지도 느리지도 않게 걸어 나가자 그 옆을 샤인이, 그 조금 뒤를 배틀비드를 쥔 에반과 벨루아가 뒤따랐다.

'도련님이 구슬 하나 던지면 끝날 것 같긴 한데.'

'내 차례가 있을까.'

'내가 굳이 방패를 들고 있을 필요가 있나 싶은데.'

에반을 제외한 셋이 공통된 생각을 하고, 에반은 과연 고블린 파이터에게도 자신이 던지는 배틀비드가 통할까 부질없는 생각을 하던 그때.

통로 끝부분에 빠져나와 있는 고블린 파이터의 모습이 보였다.

[키흑…….]

"……어?"

에반은 놈의 모습을 보며 깜짝 놀라 그만 목소리를 흘리고 말았다. 어째서 저놈이 밖에 나와 있는 거지……?

물론 던전에서 태어나는 모든 몬스터는 주기적으로 복도를 순찰하며 조우하는 탐험가를 무차별적으로 공격하지만, 룸에서 태어나는 몬스터는 다르다.

그들은 결코 밖으로 나가지 않으며, 그 안에서 얌전히 때가 오기를 기다린다. 그런데 왜? 게다가 왜 저렇게 몸통이 피범벅이 되어있지? 기분 탓인가, 피가 묻은 것뿐 아니라 몸이 그냥 빨갛게 달아올라있는 것처럼도 보이는데…….

[킥…… 캬하아아아아아악!]

전신이 피로 물든 고블린 파이터는 그들의 모습을 발견하고 끔찍한 기성을 내지르며 그들에게로 달려오기 시작했다. 놈의 손에 들린 피에 젖은 시미터가 살벌하게 빛나고 있었다.

"도련님, 위험합니다!"

라이한이 당황하여 외치며 앞으로 나서 방패를 들었다. 에반은 엉겁결에 뒤로 물러서며 일단 놈에게 배틀비드를 던졌다.

일직선으로 날아간 배틀비드가 고블린 파이터의 정수리에 꽂혔다. 그리고…… 놈의 머리통이 폭발했다.

"……휴우, 별것 아니었네."

"……."

에반이 이마의 식은땀을 닦아내며 안도의 한숨을 쉬었다.

겉모습도 피처럼 붉은 데다 갑자기 엄청 사납게 달려오기에 혹시나 고블린의 상위종 중 하나, 블러드 고블린인가 했는데 던전 20층 너머에서나 등장하는 그놈이 배틀비드 한 방 얻어맞고 죽을 리가 없지 않은가!

더구나 냉정히 생각해보면 그런 터무니없는 상위종이 던전 1층에서 자연발생했을 리도 없다.

비록 고블린 파이터가 룸 바깥으로 나와 있는 버그가 발생하기는 했지만 원래 요마대전 세상에 버그가 없었던 것도 아니고, 이 정돈 애교로 봐줄 수 있었다.

"별것 아니었던 거 아닌 거 같은데……."

"방금 온몸에 소름이 확 끼쳤어. 그냥 고블린이 아니었어. 덩치도 엄청 크고 근육질이었던 데다……."

"……기색이, 달랐어."

"그냥 고블린 파이터 중에 좀 씩씩한 놈이었나 보지, 뭐. 자, 시체 확인하자. 그래도 고블린 파이터는 가끔 쓸 만한 시미터를 떨구거든."

에반은 고블린 파이터의 시체를 루팅—쓰러트린 몬스터의 시체에서 전리품을 획득하는 행위—하기 위해 씩씩하게 나아갔지만 셋은 도저히 그럴 수가 없었다.

애들 장난하듯이 썰어버릴 수 있었던 고블린과는 달리 끔찍한 기세를 내보였던 방금 그 고블린 파이터가, 죽은 지금까지도 그들을 위압하고 있었다.

"……더 강해져야지."

"이제 겨우 던전 1층에 들어왔을 뿐인데 너무 마음이 여유로워졌었네요."

"바보 샤인이 맞는 말을 했어."

자신이 방금 쓰러트린 몬스터가 얼마나 끔찍한 놈이었는지도 모르고 있는 저 나사 빠진 도련님을 지키려면 지금 정도로는 안 된다. 일단 도련님 수준의 반이라도 따라잡지 않고선 얘기가 되질 않는 것이다!

"도련님, 또 그런 놈 숨어있을지 모르잖아요. 혼자 성큼성큼 가지 마세요!"

"아냐, 저 너머 룸에는 이제 몬스터 없어!"

"그러니까 그걸 어떻게 아시냐고!"

샤인이 먼저 에반을 뒤쫓아 달렸다. 벨루아와 라이한 역시 눈빛을 짧게 교환한 후, 고개를 끄덕이며 그 뒤를 따랐다.

드림팀의 던전 탐색은 그렇게 여태까지 던전에 들어왔던 그 누구도 걸어본 적 없는 방향을 향해 천천히 나아가고 있었다.

Chapter 18.
에반 디 셰어든, 레벨 업 하다

놀랍게도 고블린 파이터가 드롭한 시미터는 아티팩트였다. 최하 등급의 아티팩트라도 최소한 금화 몇 개는 주어야 살 수 있다는 점을 고려했을 때, 그들의 던전 탐험은 처음부터 대박이 났다는 얘기가 된다.

"이거 그냥 고블린 파이터가 드롭할 만한 물건이 아닌데."
"그야 그냥 고블린 파이터가 아니었으니까 그렇죠."

에반은 연금술을 익힌 덕에, 그리고 전생에 요마대전 시리즈를 플레이하며 거의 모든 무구를 획득하고 감정해본 경험이 있어 물건의 질을 판단하는 안목이 상당했다.

그리고 그런 그의 눈으로 판단했을 때 고블린 파이터가 드롭한 시미터는 일반, 상급, 희귀, 유일 등등으로 구분되는 아티팩트 등급 체계에서 최소 상급에 해당하는 물건이었다.

“날이 피에 젖은 게 아니라 그냥 처음부터 핏빛 날이었어. 단단하고 날카롭고 무겁지만 정작 착용자는 그 무게에 영향을 받지 않고……. 으음, 이거 혹시 상처를 벌려 출혈량을 증가시키는 옵션까지 있나? 진짜 살인에 특화된 상급품이네. 내가 알고 있는 유일 등급 아티팩트의 하위호환 버전이라고 해도 믿겠어. 아무리 봐도 던전 1층에서 드롭될 물건이 아닌데…….”

“공자님, 이 안에 살아있는 것은 아무것도 없었습니다. 그런데…….”

에반이 시미터를 살피며 고뇌하고 있던 그때 방을 살피고 나온 라이한이 창백한 안색으로 말했다.

“룸 안에 고블린 시체가 잔뜩…… 더구나 피 냄새가 지독합니다.”

“피 냄새? 아, 이놈 꼴을 보고 대충 예상은 했는데, 상잔이 있었나 보네요.”

던전의 모든 몬스터는 기본적으로 서로를 공격하지 않지만, 어떤 특수한 상황이나 조건이 주어지면 상잔을 할 때가 있다.

던전은 던전 안에서 죽은 모든 시체를 공평하게 빨아들이지만, 그것에는 조금 시간이 걸린다. 그래서 몬스터의 시체가 던전에 녹아들기 전 회수할 수도 있는 것이다. 아마 상잔이 일어난 지 얼마 되지 않은 모양이었다.

"어디…… 우와."

성큼성큼 룸 안으로 들어간 에반은 그 안의 참상을 보며 고개를 절레절레 내저었다. 라이한의 말마따나 방 안에는 고블린의 시체가 널려 있었다. 방금 죽인 고블린 파이터가 나머지 열 마리의 고블린을 모두 죽인 것이겠지.

"……아니지, 열한 마린데?"

갈가리 찢어진 육신을 보고는 판단할 수가 없어 상대적으로 멀쩡한 머리 숫자를 세었는데 그것이 열한 개였다. 심지어 그중 하나는 고블린 파이터의 것으로 판단되었다.

"그렇네요. 하지만 그 정도 오차는 있을 수도 있는 것 아닙니까."
"……그치, 내가 정확한 정보를 알고 있는 것도 아니고."

샤인의 말에 에반은 어깨를 으쓱하며 고개를 끄덕였다. 아마 버그로 고블린 파이터 두 마리가 태어나는 바람에 예상치 못한 분열이 일어났던 것이 아닐까, 추측해볼 따름이다.

그래서 저렇게 말도 안 되게 좋은 시미터도 드롭된 것이고.

"그럴 수도 있지 뭐. 그런데……."

에반은 방 안을 둘러보며 조금 의아한 점이 있었다. 이상하게 피가 적다. 이렇게 시체가 난자되었으면 피바다가 되어 있어도 이상하지 않은데, 군데군데 피가 떨어진 정도였던 것이다. 그렇다면 혹시…….

"흠."

에반은 마침 근처에 방울방울 떨어져 있는 고블린의 피에, 자신의 손에 들려있던 시미터를 콕 찍어보았다. 그러자 놀랍게도 고블린의 피가 시미터에 흡수되는 것이 아닌가.

"와, 긴가민가했는데 진짜네. 이거 혈월이랑 능력이 완전히 똑같잖아."

"혈월이 뭡니까, 도련님?"

"유일 등급 아티팩트."

혈월은 피를 먹어 성장하는 시미터였다. 그 자체의 능력치도 상당할뿐더러 좋은 옵션만 갖추고 있어 전사 계열 직업이 즐겨 쓰는 무기였지만 혈월의 진가는 재료로서의 가치에 있었다. 그는 그것으로 보다 좋은 무기를 만들어내는 방법을 알고 있었다.

물론 지금 이 아티팩트는 게임에 등장했던 혈월보다는 턱없이 능력치가 처졌지만, 피를 먹어 성장한다면 어느 정도 그것을 따라잡는 수준으로 성장시킬 수는 있을 터였다. 그것이면 충분하다.

"땡잡았다. 샤인, 이거 갖고 있어."

"저 주시는 겁니까?"

"응. 이제부터 우리가 잡는 모든 몬스터의 시체에 그걸 푹 찔렀다 빼. 먹이 준다고 생각해. 나중에 그거 재료로 네 무기 만들 거야."

"피를 먹는다니 기분 나쁜데요……."

"당장 저 고블린 파이터부터 찍어 먹고 와. 다 널 위한 거니까 빨리 해."

"네이, 네이."

샤인은 투덜거리면서도 충실하게 에반의 명을 수행했다. 에반 말만 잘 들으면 자다가도 떡이 생긴다는 걸 이미 파악하고 있는 그였다.

"공자님, 지는 이 공간이 굉장히 기분이 나쁩니다. 더구나 피 냄새가 너무 짙은 것 같지 않습니까. 가능하면 빨리 나가고 싶습니다."

"음, 그런가요?"

한편 라이한은 어지간히도 이 장소가 마음에 안 드는 모양이었다. 에반은 인상을 팍 쓰고 있는 그에게 쓴웃음을 지어 보이며 말했다.

"그러면 정화라도 걸던가요. 찝찝한 건 정리하고 가는 게 좋죠."

"……그러고 보면 그것도 있었죠. 워낙 사제로서 활동을 안 하다 보니 저 자신도 깜박 잊고 있었습니다."

라이한은 그 자리에서 무릎을 꿇고는 정화의식을 준비했다. 평소 갖고 다니는 것인지 깨끗한 손수건을 깔아 그 위에 소금을 붓고, 두 눈을 감고 그 앞에서 신성주문을 외우는 것이다.

그에 따라 그의 전신이 황금빛으로 빛나는 광경이 사뭇 멋스러웠다.

"오, 진짜 피 냄새가 가시네요."

"응, 그게 정화마법이니까. 물론 언젠가는 다시 이 장소에 몬스터가 소환될 테고, 언젠가는 다시 피 냄새가 방에 배게 되는 날이 오겠지만…… 지금 당장의 위안으로는 충분할 거야."

실제로도 정화마법은 전투의 흔적을 지우는데 굉장히 유용하다. 냄새나 흔적으로 추적당하는 일을 어느 정도 방지할 수도 있고, 휴식을 위해 위생적인 장소를 확보하는 데에도 쓸 수 있다.

던전 깊숙이 내려갈수록 파티에 사제가 꼭 필요하다고 하는 것이 괜한 소리가 아니다. 대지교단의 입김이 그렇게나 센 것도 괜한 일이 아니다.

형제약국의 대두로 이제 어느 정도 사제를 대체할 수 있게 되기는 했지만, 결국 던전 공략에 있어 사제는 빼놓을 수 없는 요소였다.

"도련님."

"응? 어……."

그때 벨루아가 에반의 소매를 조심스레 잡으며 방 한구석을 가리켰다. 에반은 그것을 보며 멍청한 소리를 냈다.

라이한이 정화마법을 구사하며 룸이 깨끗해지는 것과 동시에 룸 중앙에 허름한 나무상자가 모습을 드러낸 것이다. 에반은 저것이 어떤 현상인지 잘 알고 있었다. 게임에서 많이 봤다.

"저거 업적 보상이잖아……."

"방금 라이한 형이 이 방을 정화한 게 업적이라는 말인가요?"

"응. 그리고 업적 보상이 나타났다는 건…… 이 방 진짜로 저주받았었나 본데!?"

에반은 정화의식을 마치고 손수건을 거두어 자리에서 일어서는 라이한을 보며 실로 황당한 표정을 지었다.

요마대전 4에는 마냥 강대한 철벽으로만 나타나서 전혀 몰랐는데, 그러고 보면 이 사람 처음부터 전도유망한 사제였다!

"분위기만으로 저주의 존재를 알아채버리는구나. ……진짜 드림팀이네."

"후, 이제 좀 공기가 가벼워진 것 같습니다. 다음 장소로 가시죠, 도련님. 어, 이건 뭡니까?"

"업적 보상이라니까. 자, 열죠."

"함정은 없습니까?"

"업적 보상엔 원래 함정이 없어요."

에반은 거침없이 상자를 열었다. 그 안에는 수십 개의 은화와 일곱 개의 금화, 마지막으로 한 개의 작은 보석이 들어 있었다.

"음."

에반은 투명한 빛을 발하는 보석을 집어 확인하며 고개를 끄덕였다. 이것도 알고 있는 놈이다.

"얘도 아티팩트네."

고블린 파이터한테서 하나, 업적 보상으로 하나. 던전 1층에서만 벌써 두 개의 아티팩트를 건졌다. 그는 상자 안의 나머지 내용물을 깡그리 쓸어 인벤토리 포켓에 집어넣고는 보석을 라이한에게 주었다.

"상급 아티팩트예요. 그리 강하진 않지만 신성력을 삼켜 방어막을 만들어내는 능력이 있으니까 일단 형이 써요. 안 그래도 갑옷이 없어서 불안했는데 그게 있으면 그나마 낫겠네요."

"허, 시험해보니 확실히 신성마법보다 훨씬 빠르게 발동하는군요. 감사합니다."

혈월과 능력이 똑같은 시미터도 그렇고, 방금 얻은 상급 아티팩트도 그렇고 도저히 던전 1층에서 등장할 물건이 아니었지만 에반은 그러려니 하기로 했다. 아마 이 공간 전체가 버그일 것이다.

"나쁜 방향의 버그가 아니어서 다행이야."

"나쁜 방향의 버그라는 건 뭡니까?"

"그건 3층에 내려가면 알려줄게."

수거할 것을 모두 수거한 일행은 통로를 되돌아 나와 다시 달리기 시작했다. 도중에 그들과 마찬가지로 신인 탐험가로 보이는 이들과 마주치기는 했지만, 에반은 그들과 적절한 거리를 두고 눈인사만 한 후 그냥 지나쳐갔다.

"원래 이렇게 무시하는 게 맞는 겁니까, 도련님? 조금 쌀쌀맞지 않나 싶은데."
"응. 던전 안에서 제일 경계해야 할 건 몬스터, 함정 이상으로 같은 탐험가들이거든."

던전은 시간만 주어지면 모든 시체를 빨아들인다. 비단 몬스터의 시체뿐만 아니라 사람의 시체까지도 모조리, 냉정하게 흡수해버린다.
그 말이 무엇인가 하면, 던전 안에서 살인이 일어나도 던전이 알아서 증거를 인멸해준다는 얘기이기도 했다.

"설마 그런 끔찍한 범죄가."
"보통 그렇게 생각하는 순진한 신인 탐험가가 많이 당하지. 명심해, 샤인. 세상에서 제일 무서운 건 사람이야. 몬스터는 적어도 눈에 띄게 적의를 드러내지만 사람은 그렇지 않으니까."

더구나 방금 그들은 던전의 숨겨진 요소를 최초를 발견해내 두 개의 아티팩트를 손에 넣었다.

돈이 없는 탐험가들이 만약 이 사실을 알게 된다면 눈이 뒤집혀 덤벼들지도 몰랐다. 설사 상대가 후작가의 둘째 공자라는 사실을 알고 있어도, 말이다.

"사람이란 그런 이유로 살인을 저지를 수도 있군요……."

"그런 의미에서…… 아까 봤던 애들, 우리 안 따라오지?"

"예, 도련님."

"좋아, 그럼 여기 있는 것도 지금 회수하자."

에반은 복도에 아무렇지도 않게 놓인 바위 중 하나를 골라 가볍게 두들겼다.

물론 에반이 가볍게 두드린다는 것은 어지간한 기사의 전력 스트레이트보다도 강렬하여, 바위는 산산조각이 나고 말았다.

"헉, 안에서 금화가 쏟아져 나오는데요!"

"원래 그런 바위니까. 다른 거 부순다고 금화 나오는 거 아니니까 그런 눈으로 주위 살피지 말고 와서 이거나 주워. 다 주우면 바로 다음으로 가자."

에반은 그 후로도 일행을 이끌고 던전 1층을 종횡무진하며

몇 개인가의 벽과 바위를 부수고,

고블린을 죽이고,

어떤 텅 빈 룸의 해골 더미 위에서 왼쪽 세 번째에 있는 벽돌을 두드려 고블린들로 가득 차 있는 새로운 룸을 열어버리기도 하고,

고블린을 죽이고, 고블린을 죽이고,

쉼터를 찾아 기껏 쉬나 했더니 물 한 모금 마시고 바로 출발해,

고블린을 죽이고, 고블린을 죽이고, 고블린을 죽였다.

"좋아."

그렇게 그들이 처음 던전에 들어온 지 일곱 시간이 조금 넘었을 때 에반이 선언했다.

"우리 던전 1층 다 돌았다."

"그 넓은 던전을 지금 우리가 다 돌았다고요!? 하루는커녕 만으로 여덟 시간도 안 됐는데!"

"응. 지도를 파악한 후로는 최적의 경로를 짜서 한 번도 헤매는 일 없게 통로를 돌았으니까 가능한 일이었지."

"하지만 층계는 아직까지 본 적이 없는데요?"

"그야 그것들은 피해서 다녔으니까."

에반은 자신에게 쏟아지는 샤인의 시선을 깔끔하게 무시하며 던전 1층 지도를 다시 한 번 확인했다.

좋아, 빼놓은 건 역시 없다. 요마대전 2, 3, 4에 나오는 모든 비밀 요소를 한 번씩은 확인했다. 3과 4야 그렇다 치고 2에서 주인공 일행이 최초로 개방하는 비밀 요소까지 그대로 남아있어서 조금 놀랐다. 레오 아르페타는 대체 이 던전에서 뭘 한 거야?

"여기 탐험가들이 영 실력이 없나 봐."

"아니, 도련님이 이상한 건데요. 던전을 죄다 무너트리고 다시 지으려는 사람이 아니고서야 이런 비밀들은 도저히 발견할 수가 없는 법인데요."

샤인의 냉정한 지적을 이번에도 마찬가지로 무시한 에반은 드디어 일행을 던전 2층으로 내려가는 층계참으로 안내했다.

길을 모두 파악하고 있었기에 불과 5분도 지나지 않아 그곳에 도달할 수 있었다. 정말로 2층으로 내려가는 지하 계단이 짠, 하고 나타났다.

"뭘까, 어째서 이렇게 허탈한 기분이 드는 걸까."

"……필생의 숙원이었는데."

"우리…… 혹시 클리어 공헌도라는 게 부족해서 레벨이 안 오르는 건 아니겠지?"

샤인과 벨루아가 어딘가 미적지근한 표정을 짓고 있는 가운데 라이한이 머뭇거리며 말했다. 둘은 그의 말을 미처 부정하지 못했다.

그러나 그런 일은 없었다. 곧 그들 전원에게 맑고 아름다운 미성이 들려왔으니까.

[너의 레벨이 2로 성장했다.]

[너의 레벨이 2로 성장했다. 앞으로 만으로 하루, 네가 내딛는 걸음은 두 번의 발자국을 남길 것이다.]

"오, 오오……."

샤인은 그 순간 느낄 수 있었다. 너무나 연약하고도 허약해 무수한 기술에 죽어라 매진해서야 간신히 성능을 끌어올릴 수 있었던 자신의 신체가 근본적인 영역에서 변화를 맞이하는 것을.

'후우…….'

아니, 변화라고 부르기엔 미안하다. 이것은 그저 여태까지

기형이었던 신체가 원래 자리를 찾아가는 과정에 불과했다.

여태껏 찌그러져 있던 심장이 보다 원활하게 피를 공급하기 시작하고, 부러지기 직전으로 어긋나 있던 뼈들이 제자리를 찾는다. 그는 그 과정에서 비로소 여태까지 자신의 신체 내부가 얼마나 비틀려 있었는지 새삼 깨달을 수 있었다.

'집사장님께 몸을 제대로 움직이는 법을 배우지 않았더라면 내가 과연 이 나이까지 버틸 수나 있었을까.'

샤인은 레벨이 오르는 과정에서 새삼 후작저에 오기 전의 자신이 얼마나 위험한 환경에 노출되어 있었는지를 깨달았다. 그리고 감사했다. 자신을 불량품 신세에서 벗어나게 해준 에반에게.

"후우우……."

여태까지는 마이너스 상태의 육신을 쌍단검술과 집사 기술, 나아가 에반이나 다른 사람들에게 배운 체력단련과 같은 기술들로 억지로 움직이고 있었다면 이젠 그 상태가 어느 정도 해소되었다.

물론 아직 완전히 플러스로 전환된 것은 아니었지만, 이 정도만 되어도 이전과는 터무니없는 차이가 난다.

"이제 좀 강해진 것 같네."

샤인은 허공에 단검을 몇 번 연속적으로 그어내려 보며 만족스럽게 중얼거렸다. 몸이 무거운 짐을 덜어낸 것처럼 가벼웠다.

에반은 단순히 레벨 업의 효율이 타인의 두 배라고 했지만 그것은 원래 샤인의 몸을 겪어보지 않았기에 할 수 있는 말이었으리라.

원래가 너무 약했기에 변화가 더욱 극적으로 느껴졌다. 당장 그는 레벨이 오르기 전의 자신을 상대로 단 10초면 승리를 거둘 자신이 있었다.

'무엇보다도…….'

체력, 에반이 이르길 Hp와 스태미나. 그 두 가지 보이지 않는 지표가 크게 확장되는 기분이 들었다. 몸을 다루는 자의 본능과도 같은 것이었다.

여태까지는 피눈물 나는 수련을 통해서 간신히 늘려왔던 그 한계가 단숨에 증폭되는 것이다. 그 쾌감은 이루 말할 수 없이 컸다.

동시에 더한 갈증이 찾아왔다. 보다 성장하고 싶다. 던전을 깊이 탐구하고 싶다. 내려가고 싶다. 강해지고 싶다. 도련님보다도 더.

샤인의 가슴에 뜨거운 불꽃이 타오르기 시작했다. 에반은 5층까지는 가야 알 수 있다고 했지만 샤인은 이미 확신했다. 방금 자신은 다시 태어난 것이라고. 그것을 증명하기 위해 에반을 돌아보았는데…….

"어, 도련님?"

[너의 레벨이 2로 성장했다. 앞으로 만으로 사흘, 너는 쉬이 지치지 않게 될 것이다.]

벨루아는 지그시 눈을 감고 자신의 내부에서 이루어지는 변화를 즐겼다.

본래 신체능력이 그리 높지 않은 그녀이기에 샤인처럼 격한 느낌을 받지는 않았으나, 그럼에도 불편했던 육신이 정상적인 방향으로 나아가려 하는 것은 기꺼웠다.

그리고 그보다 더욱 기꺼운 것은…….

'작은 물웅덩이 같았던 내 마나의 샘이…… 정말 샘이라 부를 만한 크기로 확장되고 있어.'

벨루아에게 마도에 대해 알려준 후작부인이 이르길 마나의 샘, 마나를 받아들여 저장하고 생산하며 통제하는 신체 내부의 공간이 크게 늘어나는 것이 느껴졌다.

에반에게 차마 말은 못했지만 여태까지 이 작디작은 샘물을 효율적으로 관리하기 위해 벨루아가 얼마나 애를 써야 했던가!

그것을 해소하기 위해 마녀수행, 램프 수련에 필사적으로 매달린 덕에 마력을 효율적으로 운용하는 능력이 크게 성장하기는 했지만 그래도 그 갑갑함은 이루 말할 수가 없었다.

에반은 레벨이 한 번 오르는 정도로는 큰 변화가 없으리라 했지만 그녀가 생각하기엔 절대 그렇지 않았다. 그녀는 레벨이 오르기 전의 자신과 비교해 족히 반 배 이상은 강해졌다는 확신이 있었다.

"후우."

그녀는 심호흡을 하며 여우불을 만들어냈다. 마나를 다루는 기초능력까지 단숨에 성장한 덕에 여우불을 만드는 것이 숨을 쉬는 것보다도 쉬웠다.

그러던 중 그녀는 문득 한 번에 두 개의 여우불을 만들어내 유지하는 것도 가능하지 않을까, 하는 생각이 들었다. 여태까지는 차마 엄두도 내지 못했던 일이었으나 지금은 어쩐지 가능할 것만 같은 기분이었다.

'마녀는 하고 싶은 것을 하는 이들이지. 자신의 욕망을 자연의 이치보다 앞세울 수 있는 자들, 그것이 바로 마녀란다. 그것이 네가 불꽃과 얼음을 동시에 다룰 수 있는 이유이기도 해.'

자신에게 마녀의 길을 이끌어준 후작부인, 레디네 디 셰어든은 그렇게 말했다. 과연, 이젠 벨루아도 그녀의 말을 조금은 이해할 것 같았다.

에반은 그녀가 보조마법 전문 마법사로 전직하지 않는 이상 여우불은 한 개만 소환할 수 있다고 했었지만…… 벨루아는 모든 고민을 깔끔하게 날려버리고, 두 개째의 여우불을 소환해보았다.

"……후훗."

그러자 되었다. 그것도 그리 어렵지 않았다. 앞으로 조금만 더 노력한다면 세 개째의 여우불을 소환하는 것도 가능하지 않을까, 하는 생각이 들 정도였다.

"도련님, 제가……."

어지간해서는 빗나가는 법이 없는 에반의 예상을 보기 좋게 빗나간 것이 기뻐, 자신이 성장했다는 증거를 그 앞에서 내

보일 수 있다는 것이 기뻐 에반을 돌아본 벨루아는…… 그러나 다음 순간 말문이 막히고 말았다.

❋❋❋

[너의 레벨이 2로 성장했다. 수백 년간 누적되어온 증오의 연쇄를 끊어낸 너의 정화의 업은 실로 숭고하여 나 #$$#@#를 기쁘게 했으니, 나는 네게 새로운 능력 '인내하는 방패'를 내리겠다.]

[네가 적을 공격하지 않은 채 공격을 막아내면 막아낼수록, 너의 방패는 점점 더 무거워지고 단단해질 것이다. 만약 네가 먼 훗날 다시 나를 이토록 기쁘게 할 수 있다면, 그땐 이 능력과 짝을 이루는 보다 강력한 능력을 내려주도록 하겠다.]

라이한이 듣게 된 메시지는, 그리고 그가 맞이한 변화는 샤인과 벨루아의 것과는 사뭇 달랐다. 그 이유는 명백하다. 그가 던전을 탐험하는 과정에서 특별한 업적을 이룩했기 때문이다.

멋진 활약을 하면, 멋진 결과가 뒤따른다. 실로 그렇게 되었다.

설마 던전레벨 2가 되면서 새로운 스킬을 얻게 될 만큼 운이 좋은 이는 없으리라고 던전을 알고 있는 모두가 생각했으나, 사실 에반이 오늘 던전에서 발견한 비밀은 그 무게가 사

듯 깊어 이만한 보상을 받는 것이 당연할 정도였다.

[그 공간은 던전에서도 특히 심한 저주를 받은 공간이었다. 간헐적으로 일정량의 몬스터가 탄생하나 그들이 빠져나갈 곳은 없었고, 따라서 그들이 고이고 고이며 끝내 돌연변이가 탄생했다. 그리고 그것은 저층 던전이 품기엔 너무나 위험한 존재였다.]

[그런데 수십 년 이상 살아오며 끔찍하게 성장한 돌연변이를 무사히 처단했을 뿐만 아니라 저주로 물든 공간을 정화하기까지 했으니, 앞으로 그 장소에서는 다시 그런 일이 발생하지 않게 될 것이다. 이것은 아주 큰 업적이니 스스로 자랑스럽게 여겨도 되리라.]

라이한은 자신에게 들려오는 메시지의 내용에 집중할 겨를이 없었다. 새로운 스킬에 대한 지식이, 정보가, 힘이 그에게로 흘러들어오는 과정에서 혼이 빠져나갈 것만 같았기 때문이다.

'집중해야 한다. 집중……!'

라이한은 자신에게 새겨진 스킬을 깊이 탐닉하고 되새겼다. 타고난 오성 덕에 스킬을 이해하는 것은 어렵지 않았다. 그리고 확신했다. 남들에게 뭐라 설명하기는 힘들지만, 이 능력은 자신을 위해 탄생한 능력이라고.

만약 에반이 그의 스킬에 대해 파악할 수 있었더라면 이렇게 설명했을 것이다.

'방패로 공격을 연속적으로 막아낼 때마다 방어력이 증가하게 하는 개사기 버프 스킬. 중간에 적을 공격하면 버프가 끊기는데 형은 어차피 적 못 때리니까 페널티가 의미 없는 수준'이라고.

'어떤 신께서 내게 이 능력을 내려주셨는지는 알지 못하지만.'

신이 스스로의 이름을 말하려는 순간 그 목소리에 노이즈가 끼어 자음 하나, 모음 하나 알아들을 수가 없었다.

하지만 그것이 누구든 좋다. 그는 능력을 내려준 신에게 감사했다. 이 능력이 있으면 앞으로 에반을 지켜내는 데 도움이 될 것이다. 보다 많은 적을 상대할 수 있게 될 것이며, 쉬이 쓰러지지 않게 될 것이다.

"더한 업적을 세우면 이보다 더한 능력을 내려주신다고 하셨으니."

언젠가 반드시 그 업적을 달성해 보이고 마리라. 라이한은 굳은 결의와 함께 뒤를 돌아보았다. 자신에게 더해진 능력을 에반에게 말하면, 그는 분명 라이한과 함께 기뻐해줄 터였다.
그런데…….

"공자님!? 공자님이 어디 가셨지!?"

에반이 그곳에 없었다!

"형도 몰라요!? 와, 미치겠네. 분명히 조금 전까지 눈앞에 있었는데! 야, 벨루아, 혼자서 움직이지 마!"
"하지만 도련님이……."

에반의 부재를 깨달은 직후 움직이려는 벨루아를 샤인이 늦지 않게 붙들었다. 사색이 되어 어쩔 줄을 모르는 벨루아를 보며 샤인은 한숨을 내쉬었다.
사실 그도 무척 당황했었으나 자신 이상으로 당황한 벨루아를 보고 있자니 오히려 진정이 되었다. 사분오열되었던 사고가 논리적으로 조립되며 이성적인 답을 냈다.

"이미 던전을 클리어한 상황에 도련님한테 해가 닥쳤을 리가 없어. 주위에 다른 사람도 없었고. 그렇다고 도련님이 우리를 놔두고 혼자서 어디로 가실 분도 아니잖아."
"그건 그렇지만 지금 실제로……."
"다른 외부요인이 없다면 이유는 하나밖에 없지 않겠어?"

샤인의 말에 라이한 역시 고개를 끄덕이며 말했다.

“그러고 보면 들어본 적이 있어. 수십 년에 한 번 꼴로, 고층을 탐험하는 이들 중 굉장한 업적을 세운 이가 ‘신에게 불려가는’ 경우가 있다고.”

“도…… 돌아올 수 있어요?”

“당연하지. 하지만 신에게 불려가서 대체 무슨 대화를 나눴는지는 절대로 말하지 않는다고 들었어. 그러니 공자님이 다시 나타나시거든 아무것도 묻지 않고 그냥 가만히 놔두…….”

까지 라이한이 말한 순간, 마치 약속이나 한 것처럼 에반이 원래 있던 자리에 뿅 하고 나타났다. 그 예쁜 얼굴이 잔뜩 구겨져 있어 대체 무슨 일이 있었는지 걱정이 될 정도였다.

‘하지만 물어보면 안 돼, 물어보면…….’

무사히 돌아오신 것만 해도 다행이다, 속으로 그렇게 중얼거리며 벨루아가 필사적으로 자신을 억누르려던 그때. 에반이 먼저 대뜸 짜증을 내며 말했다.

“아니, 난 약해빠졌다는데 뭘 자꾸 나보고 ‘너, 너무 강하다……!’고 하는 거야, 짜증나게. 진짜 신이라고는 바보들만 모아놨나, 도저히 이해할 수가 없네.”

"……."

"……."

"……."

그 이상 듣지 않아도 무슨 일이 있었는지 알 것만 같은 중얼거림! 모두가 침묵하는 중 벨루아가 용기를 냈다.

"큰……일은 없으셨습니까?"

"아, 응. 정신을 차리고 보니까 사방이 엄청 환한 공간이었는데 그 안에 빛 덩어리 몇 개가 둥둥 떠 있더라고. 그것들이 수군거리면서 막 뚱딴지같은 소리를 하고, 그중에 한 명이 나한테 스킬을 줬어. 헛소리도 가만히 들어주는데 스킬 하나 안 주면 진짜 따지든가 했을 거야."

"공자님도 새로운 능력을 얻으셨습니까!?"

"어, 형도 받았어요?"

설마 던전 1층을 클리어했을 뿐인데 벌써 두 명이나 새로운 스킬을 얻다니! 놀란 에반이 혹시나 하는 마음에 샤인과 벨루아를 돌아보니 그들은 고개를 저었다.

그러나 샤인의 달라진 기도로 보나 벨루아의 근처를 휘돌고 있는 두 개의 여우불로 보나 두 사람 역시 한 번의 레벨 업으로 상당히 강해진 모양이었다. 사실 벨루아가 부정하지 않았더라면 그는 신의 힘으로 여우불 스킬이 강화된 줄 알았을 것이다.

“제가 얻은 것은 인내하는 방패라는 능력입니다. 이 스킬을 발동 중일 때는 공격을 할 수 없지만, 대신 방패로 공격을 막아낼 때마다 방패의 능력이 상승합니다.”

“오, 행동에 따라 효과가 중첩되는 버프네요. 그거 진짜 형한테 딱 맞는 능력 같은데, 그럼 2층에서는 일단 형 스킬을 시험해 봐요.”

“도련님이 얻으신 스킬은……?”

“아…… 음.”

에반은 뺄쭘한 표정이 되었다. 그가 얻은 능력이 그리 좋지 않은 능력이라는 사실을 단숨에 간파한 일행은 동시에 입을 다물어버렸으나 때는 이미 늦어있었다.

“……헤븐 프레스. 그…… 엄청나게 세게 쥐는 스킬이래.”

대체 왜 헤븐 프레스인 것일까, 너무 세게 쥐는 나머지 천국으로 보내버리는 프레스라서 헤븐 프레스인 것일까.

에반은 알지 못했다. 알고 싶지도 않았다. 망할 신들 같으니, 양손으로 꽉 쥐어서 그냥 천국으로 보내버리고 싶네!

“흐음…….”

"축하드립니다, 도련님."
"도련님, 그래서 그거 대체 어디다 씁니까? 슬라임 잡는 데?"

라이한은 얼버무리고, 벨루아는 일단 축하하고, 샤인만 솔직하게 물어왔다.

에반은 샤인에게 아무런 대답도 하지 않고 돌아서며 무미건조한 목소리로 말했다.

"자, 이제 아래층 내려가자."

셰어든 던전은 대변화가 일어날 때마다 던전 내부 구조가 크게 바뀌기는 하나 그 넓이는 크게 바뀌지 않는다.

던전의 각 층계는 실로 방대했으며, 심지어 몇몇 층계를 제외하곤 아래로 내려갈 때마다 넓어지기까지 했다. 이 내부는 분명 인간의 이치가 닿지 않는 마법의 힘으로 인해 확장, 통제되고 있으리라는 것이 마도학계의 정설이었다.

"그런데 그 던전의 지도를 왜 도련님이 갖고 있느냐고요."
"거참 까탈스럽게 굴기는."

1층에서 한 번 해보면서 솜씨가 붙은 에반은 2층에 내려온

지 고작 1시간 만에 자신이 그린 미니맵과 2층 전체 지도를 동조시키는 데 성공했다. 함정? 그래 봤자 2층인지라 정말 눈에 띄게 적었다.

"어, 저기도 함정 있네."
"그렇지, 제가 이럴 줄 알았다고 하지 않았습니까."

더구나 버나드에게서 배운 연금술 스킬이 제법 높은 수준에 이르러 있는 것인지, 에반은 함정의 위치와 조금 가까워지기만 하면 어김없이 함정을 눈치채고 말았다.

높은 존재레벨과 연금술의 조화로, 위화감이 장난 아니게 느껴지며 함정을 발견하게 되고 마는 것이다.

아마도 저층이라서 그런 것이겠지? 그런 생각을 하며 에반은 함정을 제거했다. 제거 방법은 바로 비드 투척이었다.

그가 쏘아낸 배틀비드가 함정을 파괴하면, 그들은 함정의 힘이 완전히 소모될 때까지 기다리다가 지나가면 되었다.

"화살 한번 섬뜩하게 쏟아지네요."
"근데 이거 한 번으로는 완벽히 제거가 안 되는데…… 음, 아, 저쪽에 고블린 무리가 있네. 개네 유도해 와서 함정으로 처치하자."
"도련님, 혹시 그것도 업적입니까?"
"정답."

2층에 오면 느릿느릿 전진할 것이라던 에반은 이미 함정과 함께 폭발해 사망했다.

2층에 존재하는 모든 함정의 위치를 파악한 에반은, 물론 라이한을 앞장세우긴 했지만, 일행과 함께 경보와 달리기 사이의 어딘가에 있는 속도로 2층을 횡진하며 1층 때와 마찬가지로 각종 업적을 달성했다.

"오, 2층부터는 복도에 보물상자가 나타나기도 하네요!"

그로부터 2시간 정도 더 2층을 뛰어다니며 정신없이 고블린을 사냥하고 업적을 달성하던 중, 샤인이 던전의 통로 구석에 있던 허름한 나무상자를 발견하고 반가워 외쳤다.

외형만 놓고 보면 1층에 나타났던 업적 보상과 완전히 같았다. 그러나 그것을 본 에반은 반색하며 보물상자에 다가가는 샤인을 보며 무심한 어조로 말했다.

"그것도 함정이니까 열지 마."

"……네, 그럴 줄 알았습니다. 젠장."

보물상자 속에 함정이 숨어있는 것은 거의 모든 RPG에서 등장하는 전통이다. 상자를 열면 독가스가 뿜어져 나오거나, 그 안에 몬스터가 숨어있거나, 상자가 몬스터—미믹이라고 부른다—거나, 혹은 상자를 여는 것으로 인해 근처에 있던 다른 함정이 발동하거나.

"어디 보자, 이건…… 아, 이게 여태 남아있었어? 요마대전 2에서 안 사라진 거면 여태 누적 금화량이 대체…… 무조건 발동시켜야 되는 함정이네. 샤인, 일단 거기서 나와 봐."

"발동시켜야 되는 함정은 또 뭔…… 아, 업적입니까?"

"역시 넌 이해력이 좋아."

1층에서 에반의 말에 따라 움직인 결과 라이한은 평생을 안고 갈 스킬을 얻었고, 에반도 성능은 미묘하지만 어쨌든 스킬을 얻었고, 샤인과 벨루아는 시간제한이 붙은 스킬 수련 속도 배가 버프와 스태미나 증가 버프를 얻었다.

즉 그들도 달성할 수 있는 업적은 무조건 달성하고 넘어가는 게 좋다는 것을 확실히 인지하게 된 것이다.

"이건 보물상자를 열면 그 안에 정말로 금화가 상당량 들어있지만, 여는 행위가 트리거가 되어 보물상자 주위로 동시에 수십 마리의 몬스터가 소환되는 함정이야. 그것도 악질적인 건 2층에 태어나는 2레벨 고블린이 아니라 4층에 태어나는 4레벨 고블린이 소환된다는 거지."

"보물상자를 열었다간 무조건 죽을 수밖에 없는 함정이네요."

"응. 그리고 함정에 의해 한 팀이 죽을 때마다 보물상자의 내용물이 더욱 튼실해져."

"……."

에반의 설명을 듣던 이들의 몸에 동시에 소름이 확 끼쳤다. 마치 사람의 목숨으로 보물을 연성하는 것만 같지 않은가. 갑자기 허름한 나무상자에 피가 가득 담긴 것처럼 보였다.

"더욱 악질적인 건, 이 보물상자는 주기적으로 나타나는데 던전레벨이 높은 탐험가가 지나갈 땐 나타나지 않는다는 거야. 대개의 함정이 그렇듯 확실하게 낚을 수 있는 대상이 감지될 때에만 나타나지. 던전레벨 2인 탐험가 네 명으로 구성된 우리 같은 파티 앞에."

"아니…… 도련님, 2층에 나타나는 함정은 그렇게 악질적이지 않다고 하셨잖습니까."

"그야 발견 난이도가 낮다는 얘기였지, 걸리면 잔혹하게 당한다는 건 어떤 함정이나 똑같아."

"……."

에반은 말문이 막혀버린 샤인을 놔두고 라이한에게 돌아섰다. 라이한도 에반이 자신에게 지시를 내릴 것을 대충 예감하고 있었다.

"제가 열면 되는 겁니까?"

"형이 이번에 얻은 스킬의 능력을 시험하기에는 적격일 것 같아서요. 물론 부담될 것 같으면 물러나도 괜찮아요. 어떻게든 멀리서 함정을 작동시키는 방법은 있으니까."

"아뇨, 하겠습니다. 결국 던전 4층에 나타나는 고블린이라는 것 아닙니까. 고작 고블린 수십 마리 상대로 버티지 못할 것이라면 제겐 방패를 들 자격도 없다는 것이겠죠."

또 나왔다, 방패술 자격론. 물론 라이한은 이미 체력적으로는 완성된 사람일뿐더러 방패술도 반년간 확실히 단련해 고작 고블린 상대로 밀리리라는 생각은 들지 않았지만…….

에반은 그에게 보물상자를 열자마자 잽싸게 안전한 벽을 등지고 방어자세를 취하라고 누누이 강조한 후에야 그를 보냈다.

"루아, 너랑 내가 고블린을 사냥할 거야. 너는 활을 든 놈과 칼을 든 놈을 먼저 노려주면 돼. 샤인은 우리를 보호해줘."

"알겠습니다."

"예."

샤인이 두 개의 단검을 쥔 채 준비 자세를 취하고, 벨루아는 불꽃과 얼음의 화살을 각각 세 개씩 불러냈다.

음, 아무리 봐도 던전레벨 2라고는 믿을 수 없는 마력이었지만 에반은 이미 여기에는 태클을 걸지 않기로 한 지 오래다!

“형, 열어요.”
“알겠습니다.”

라이한이 거침없이 보물상자를 열었다. 그것과 함께 화려하게 몸을 턴하여 벽에 등을 바짝 붙이며 방패를 들어 올린다!
그 순간 그와 보물상자를 중심으로 사방에 수십 마리의 고블린이 소환되었다.

[키히!?]
[키이이이…… 히이이이이이이!]
[캬, 캬각!]

대부분 몽둥이를 들고 있는 놈이었지만 개중에는 예리한 칼을 든 고블린 파이터가 두 마리, 활을 들고 있는 고블린 아처가 세 마리 섞여 있었다. 2층의 고블린이 아니라는 가장 큰 증거다. 전투를 해보면 힘이나 체력도 수준이 다르다는 것을 알게 되리라.

[캬악!]
“형!”
“네놈들의 적은 나다!”

고블린들이 나타나는 순간, 라이한은 견습 성기사 시절 배운 '신성한 외침'으로 모든 고블린의 시선을 끌었다.

보물상자를 연 것이 라이한인 만큼 기본적으로 그에게 어그로가 끌려있는 상황에서 수호자의 가호를 지닌 그가 신성한 외침까지 시전했으니 모든 고블린이 일제히 그를 노려보았다.

수십 마리 몬스터의 적의에 가득 찬 시선이 집중되는 그 순간 라이한이 느낀 감정은 무엇일까? 놀랍게도 그는 만족스럽게 웃고 있었다.

"흡!"

"……."

그것과 때를 맞추어 에반과 벨루아의 공격이 개시되었다.

벨루아는 에반이 말한 대로 활을 든 고블린 아처들과 고블린 파이터들을 노렸고, 에반은 양손에 들고 있던 배틀비드를 고블린들이 최대로 밀집된 지역에 차례로 던져냈다.

[캬아아악!]

[키헤에에엑!]

4레벨 고블린은 2레벨 고블린과 체력부터 공격력까지 모든 것이 다르다. 이제 막 2층에 들어온 탐험가들에게는 별세계의 존재라고 해도 과언이 아니다. ……그러나 안타깝게도 에반과 벨루아의 공격 앞에서는 평등한 한 방 감일 뿐이었다.

그나마 2레벨 고블린에 비해 방어력이 높은 덕에 발생하는 충격파가 조금 적다는 미미한 차이점은 있었으나 솔직히 그게 그거였다.

벨루아는 한 번의 공격으로 고블린 아처와 파이터를 포함한 여덟 마리를, 에반은 열다섯 마리를 처치했다. 단숨에 절반 가까이 처리된 것이다.

[킥!?]

[캬하!]

순식간에 동료의 절반이 떼죽음을 당하자 고블린들은 당황하며 에반과 벨루아를 향해 돌아서려 했으나 안타깝게도 그럴 수 없었다.

놈들의 공격 타깃은 라이한에게 고정되어 있었으니, 제아무리 죽어간 동료의 복수를 하고 싶어도 무기가 라이한에게만 향했다. 그것은 이미 마력과도 같은 힘이다.

의지를 거스른 행동을 하니 자연히 공격에 담긴 위력도 약해지고, 라이한은 사방에서 들어오는 공격을 방패를 활용해 전부 수월하게 막아낼 수 있었다. 인내하는 방패가 발동하여 그의 방어력을 강화해주기 시작했다.

“어때요, 형?”

"수월합니다, 공자님."

사방에서 공격이 쏟아지는 상황이었음에도 라이한은 침착하게 그 모두를 받아냈다. 그의 손에 들린 방패는 하나인데 어떻게 그럴 수가 있을까, 하지만 그의 현묘한 움직임이 그것을 가능케 했다.

마치 고블린들의 공격이 절로 그의 방패에 꽂히는 것만 같았다. 대체 고작 반년 수련한 방패술로 어떻게 이렇게 완숙한 경지를 보이는 것일까, 그에게 여덟 배 효율 수련을 시킨 에반조차 경악할 정도였다.

"와, 무슨 춤이라도 추는 것 같아."

"한나 누나랑 출 때도 저렇게 잘 췄으면 누나 발을 실수로 밟는 일은 없었을 텐데 말입니다."

"……무척 아파 보였어."

"그 얘기는 내가 안 듣는 게 더 좋았을 것 같다."

처음부터 걱정을 별로 안 하긴 했지만 정말로 그들에게 어그로가 전혀 튀질 않았다. 이건 무슨 한 편의 연극을 보는 느낌이었다. 점차 무기를 휘두르는 고블린들이 지쳐 하고, 반면 라이한은 여전히 쌩쌩하고…….

"공자님, 방패술 수련을 여기서 좀 하는 것도 좋을 것 같습니다."

"한창 재미 보는 중에 미안한데 고블린들 벌써 숨 헐떡이고 있어요."

한 번에 수십 마리의 고블린을 상대로 방패 하나 들고 뻐기고 있는 주제에 그들을 무슨 스킬 숙련 수단으로 여기고 있는 라이한! 이미 인내하는 방패의 방어력 버프 중첩이 최대치에 달해 그의 방패가 밝은 황금색으로 빛나고 있었다.

분명 데미지가 두 번 들어오는 방패일 텐데, 고블린의 몽둥이가 그것을 두들겨도 미동조차 하지 않는 것을 보면 저건 이미 철벽 이상이다. 때리는 쪽이 데미지를 입을 것이다.

[키익, 키히익…….]

[키히, 키히, 키히이…….]

아, 끝내 고블린들이 몽둥이를 놔버렸다! 라이한은 파업을 선언하는 고블린들의 모습에 기가 막혔는지 재차 신성한 외침으로 도발을 해보았지만, 이미 스태미나가 바닥이 된 고블린들이 어찌 공격을 할 수 있겠는가?

놈들은 아예 바닥에 납작 엎드려버렸다. '눈앞에 적이 있건 말건 꼼짝도 할 수 없다, 차라리 날 때려죽여라!' 하는 적극적인 의사표명이었다.

그러면 어쩔 수 없지. 에반은 샤인에게 냉혹한 지시를 내렸다.

"샤인, 재네 끝내줘."

"이상하다, 이러면 안 되는 걸 알면서도 저 녀석들한테 동정심이 가는 건 왜지……."

샤인은 쩝, 입맛을 다시며 고블린들을 정리했다. 이미 바닥에 엎어진 놈들의 목만 긋고 지나가면 되는 일인지라 30초도 걸리지 않았다.

"아……."

"오?"

그렇게 모든 고블린이 죽고 나자 기이한 현상이 일어났다. 사방에 흩어진 모든 고블린의 시체가 붉은 빛으로 화하는가 싶더니, 이 함정을 발동시켰던 원인, 나무상자에 흡수되는 것이다.

짤랑, 나무상자 안에서 금속이 부딪히는 소리가 났다. 게임을 할 땐 미처 몰랐던 건데…… 에반은 새로이 깨닫는 것이 있었다.

"죽는 게 어느 쪽이든 그놈들로 인해 보물상자의 내용물이 차오르는 구조였구나. 역시 던전은 공평하다니까."

"그럼 이제 된 거죠?"

"잠깐만, 실은 지금 궁금한 게 생겼거든. 형, 그 보물상자 뚜껑 그냥 닫아볼래요?"

"……? 예, 알겠습니다."

여태까지는 별생각이 없었는데 방금 광경을 보고 나니 문득 이상한 생각이 들었다. 에반은 라이한에게 지시를 내려, 그가 보물상자의 뚜껑을 닫는 것을 확인했다.

상자의 뚜껑이 닫히는 순간…… 철컥, 뭔가 맞물리는 소리가 났다. 그 자리에 있던 전원은 직감했다. 이 보물상자가 다시 함정으로서 기능하기 시작했다는 사실을. 틀림없다. 지금 보물상자를 열면, 저 망할 놈은 다시 수십 마리의 고블린을 소환할 것이다!

게임에서는 한 번 열었던 보물상자를 다시 닫는다는 커맨드가 없어서 몰랐던 것인데 현실에서는 이런 일이 가능했다니! 에반은 과연 게임과 현실은 다르다는 사실을 새삼스레 깨달았다.

"도련님, 이러면 혹시 처음부터 다시 시작해야 되는 거 아닙니까……?"

샤인의 비난 어린 시선. 에반은 고개를 끄덕였다.

"그렇지. 처음부터 다시 시작할 수 있게 됐지."

"……?"

"앗, 그렇군요."

이번엔 라이한이 가장 먼저 깨달았다.

"다시 처음부터 스킬 수련을 할 수 있겠군요!"

"그것뿐만이 아니에요."

"……보상."

벨루아가 말했다.

"만약 방금 현상이 누적되어 발생한다면, 한 번 고블린들을 전멸시킬 때마다 보물상자의 보상이 계속 증가하게 됩니다."

"맞아, 그거야. 지금부터 그걸 확인해보려 해."

에반은 흡족하게 웃으며 고개를 끄덕였다. 그리고 선언했다.

"해보고 만약 진짜 그렇게 된다 싶으면 우리 여기에 캠프 차릴 거고."

"캠프가 뭡니까?"

"한 자리에서 뽕을 뽑는다는 얘기지."

에반은 당당하게 선언하며 라이한에게 지시했다.

"형, 상자 열어요! 벨루아는 마법 준비!"

그날, 일행은 그로부터 47번 더 보물상자를 열었다 닫았다.

"안 나오는데요?"

어느 순간 샤인이 문득 말했다. 에반도 동의했다.

"그러게, 더 안 나오네."
"이게, 흠……."

라이한은 뭔가 미련이 남는지 보물상자를 열었다 닫았다 몇 번인가 반복해봤지만 이미 함정 특유의 기계 소리 같은 효과음도 나지 않게 되었다. 함정으로서의 수명이 마감되었다는 얘기였다.

"허어, 이런. 조금만 더 하면 스킬이 성장할 것만 같은 느낌이었는데."
"아니, 형 스킬 이미 많이 성장했거든요."

장기 프로젝트가 될 것을 감안하고 시작한 일이었는데 불과 몇 시간 만에 작업이 끝나버리자 다들 허무한 마음을 금할 수가 없었다.

그리고 그보다 대단한 것은 그들의 스태미나와 마나가 여태까지 버텨주었다는 것이다. 에반이 벨루아를 돌아보자 그녀는 겸손하게 고개를 숙이며 말했다.

"1층에서 얻은 버프가 도움이 되었습니다."

"그렇지? 결국 던전 클리어를 하면서 얻는 버프는 다음 층을 수월히 진행하게 해주는 보너스도 되거든. 물론 호감도 버프 같은 걸 얻은 날에는 곧장 도시로 뛰쳐나와 작업을 하고 돌아다녀야 하지만."

"호감도…… 작업……."

벨루아는 어지간히도 그 단어에 꽂힌 모양이었다. 그런 기색은 보이지 않았는데 혹시 마음에 드는 남자애라도 생긴 것일까, 하긴 그럴 때도 됐지.

그런 생각이 들자 조금 미안해졌다. 어제 파티에서 내가 아닌 다른 남자애와 춤추고 싶었다면 말해줬으면 좋았을 텐데. 도와줬을 텐데…….

'아니…… 그건 좀 서운하긴 한데.'

사실 벨루아가 정말 그런 말을 했더라면 좀 많이 서운했을 것이다. ……하지만 거기에 관해 깊이 생각하면 왠지 자신의 사망 신호를 독촉하는 꼴이 될 것만 같아 에반은 거기서 사고를 중단하고 말았다.

"후, 도련님이 또 말도 안 되는 생각을 하고 있는 게 눈에 보인다."

"샤인, 넌 또 생각을 밖에 흘리고 있구나. ……공자님, 그럼 이제 보물상자 내부를 확인할까요?"

"네, 그러죠."

매번 고블린을 전멸시킬 때마다 고블린들이 빛의 입자로 화해 보물상자로 스며드는 것을 확인했다. 더구나 에반은 알고 있었다. 원래 이 보물상자가 요마대전 2에서 개방되는 물건이라는 것을.

그런데 그때 발견되지 않고 지금까지 방치되어 있었다는 것은, 이런 생각은 좀 미안하지만 여태까지 다른 무수한 탐험가들이 죽어 이 보물상자에 흡수되었다는 것이고…….

거기에 함정으로서의 생명을 끝내버릴 만큼 무수한 고블린의 목숨이 더해졌으니 그 보상은 기대할 만했다.

"어라, 원래는 안이 황금빛으로 반짝였던 것 같은데 지금은 그냥 어두운데요. 혹시 이 안에 또 뭐 있는 거 아닙니까?"

"라이한 형, 들어요. 이제 그거 떼어낼 수 있을 거예요."

“넵.”

라이한이 보물상자를 바닥에서 들어 올렸다. 에반은 혹시 몰라 배틀비드를 한 손에 쥐며 그에게 그것을 바닥에 털 것을 주문했다.

라이한이 그것을 반대로 뒤집어 탈탈 털자 그 안에서 뭔가가 나풀나풀 떨어져 내렸다. 그것은 붉고, 그저 붉은…… 하나의 깃털이었다.

“어…….”

에반은 그것을 보며 말문이 막혔다. 정말 전혀 생각지도 못했던 것이었다. 아니, 이게 왜 이런 곳에서? 게임 내에서도 결국 한 번도 찾을 수가 없었는데, 어째서……?

“공자님, 이 깃털이 뭔지 알고 계십니까? 별 마력도 느껴지지 않고, 아티팩트도 아닌 것 같습니다만.”

“……불사조의 깃털.”

“예?”

에반은 망연히 대꾸했다. 샤인의 반문에, 그는 조금 더 구체적으로 설명해주었다.

"불사조의 깃털. ……엘릭시르의 재료."

"엘릭시르…… 그 엘릭시르? 모든 세상 사람이 다 알고 있는 그 엘릭시르?"

"응, 그 엘릭시르. 불로장생의 묘약."

고개를 끄덕여주며 샤인으로부터 불사조의 깃털을 받아 드는 에반. 세심하게 꼼꼼히 그것을 살핀 끝에 에반은 재차 고개를 끄덕였다.

"맞아. 고대 서적에 실린 이미지로밖에 본 적 없지만, 이건 엘릭시르의 핵심 재료 중 하나로 손꼽힌다는 불사조의 깃털이 확실해. 요마대전 2, 3, 4에 무조건 한 번은 등장하곤 했던 엘릭시르 제작 퀘스트의 첫 관문도 바로 이 불사조의 깃털을 획득하는 것이었는데……."

그런데 게이머 중 그 누구도 그 첫 관문을 넘는 데 성공한 자가 없다. 불사조는 요마대전 시리즈에는 존재하지 않는 몬스터였다. 고대에는 몇 마리인가 생존했었다는 기록이 남아 있는 것 같지만 현대에는 그 모습도, 자취도 찾아볼 수가 없었다.

헌데 어째서 갑자기 그 불사조의 깃털이 이곳에 모습을 드러냈다는 말인가. 아이러니한 것도 정도가 있지, 이런 던전의 저층에? 요마대전 2의 미해결 떡밥을 해결했더니 나타났다고? 아니, 무슨 이런…….

"죽은 목숨도 살려낸다는 영약의 재료가, 무수한 생명을 빨아먹은 끝에야 나타난다니."

대체 이 기묘한 심정을 무어라 설명해야 할까. 에반은 그저 복잡미묘한 표정으로 불사조의 깃털을 바라보고 또 바라보았다.

이게 이제 와 그의 눈앞에 모습을 드러낸 데에는 무슨 의미가 있을까. 아니, 분명 의미 따윈 없겠지만.

그가 버나드와 만나게 된 것도, 이 세상에서 다시 연금술을 붙잡게 된 것도, 그리고 이렇게 불사조의 깃털과 조우하게 된 것도 모두 우연일 뿐이다.

"도련님……?"

"괜찮아, 루아. 그냥 조금, 감회가 깊었을 뿐이거든."

그가 걱정이 된 벨루아가 그의 소매를 붙잡을 때가 되어서야 간신히 제정신을 차린 에반은 그녀에게 쓴웃음으로 답해주곤 불사조의 깃털을 인벤토리 포켓 안에 소중히 보관해두었다.

'하지만 에반, 잊지 마라.'

처음 연금술에 입문할 때, 버나드가 그에게 했던 말이 그의 뇌리에 맴돌았다.

'이 모든 것의 근간에 금을 만들고, 또한 영생을 얻고자 했던 인간의 꿈이 있었다는 사실을. 네가 알고 있는, 그리고 앞으로 몸에 익혀나갈 그 기술들의 도달점이 어디에 있는지를.'

에반은 그 말을 되새기며 나직이 고개를 끄덕였다. 물론 잊지 않았다. 누구 말인데 잊어버리겠는가.
다만 조금 가볍게 생각하고 있었을지는 모른다. 하지만…… 그 생각은 지금 이 순간 조금 바뀌었다.

"탐구해보고 싶게 하네……."

생존을 위해 익힌 기술 중의 하나일 뿐이었던 연금술. 그런데 그 끝을 보고자 하는 욕망이, 게임 시절 끝끝내 해결하지 못한 불가사의 퀘스트를 정복해보고자 하는 마음이 에반의 내부에도 확실히 존재하고 있었다.

"새로운 목표가 생겨서 그런데, 조금 막무가내일지도 모르지만 들어줬으면 좋겠어요. 괜찮을까요?"
"얼마든지."
"저도 그렇습니다, 공자님."

"저는 도련님을 따를 뿐입니다."

응, 실은 그렇게 말해줄 줄 알고 물어본 것이었다. 그래도 확답을 들으니 뭔가 마음이 개운해졌다. 에반은 작게 웃곤 말했다.

"네, 가능하면 이 던전을 완벽하게 탐사해보고 싶어요. 조금 고된 길이 될지도 모르지만 따라와 줬으면 좋겠습니다. ……그리고 가능하면 다른 던전도. 만약 가능하다면 세상에 있는 다른 모든 장소를."

"대장정이 되겠네요."

물론, 그의 목숨이 위험해지지 않는 선에서 말이다. 아마 버나드에게 말하면 그는 좋다고 따라붙을 터였다. 연금술사의 비원을 연구한다는데 따라오지 않고 배기겠는가!

"도련님이 저렇게 생기 넘치는 표정을 짓는 건 오랜만에 보네."

"오, 이렇게 밝은 표정을 또 지을 때가 있었어?"

"네. 메이벨 누나 일이 너무 바빠져서 드디어 도련님 시중드는 걸 완전히 포기하게 됐을 때 한 번."

"……."

그런 말을 들으니 또 저게 별거 아닌 것처럼 느껴지기도 하고…… 라이한은 실로 미묘한 표정이 되고 말았다. 그런 라이한의 마음을 아는지 모르는지 에반은 씩씩하게 선언했다.

"자, 그럼 출발합시다! 엘릭시르고 자시고 지금은 일단 던전을 클리어하는 거야!"

그 후로도 일행은 순조로이 2층을 답파했다. 이미 4층의 고블린들도 손쉽게 사냥할 수 있는 그들인데 2층에 나타나는 고블린을 무서워하겠는가?

방패역인 라이한을 제외한 세 명은 순번을 정해 몬스터 무리와 조우할 때마다 차례대로 사냥을 했고, 가뜩이나 스태미나와 마나가 강화된 샤인과 벨루아는 던전을 빠르게 내달리고 있었음에도 전혀 지치지 않고 일행을 따라붙었다.

"그런데 도련님."

한 무리의 고블린을 정리한 후 시미터로 피 빨아들이기 작업까지 끝낸 샤인이 문득 궁금하다는 듯이 물었다.

"던전에서 고블린 이외의 몬스터가 등장하는 건 언제죠?"
"아, 6층부터."

그렇기 때문에 그들에게는 미리 설명하지 않았다. 이번 던전행에서는 5층까지만 정복하고 끝낼 것이었기 때문에.

“던전의 6층부터는 물론 고블린도 등장하지만 서서히 다른 몬스터도 섞여서 등장하게 돼. 대표적인 게 톱토끼랑 흡혈박쥐, 덤으로 미궁쥐. 이 세 놈은 던전 어딜 가든 나타나니까 나중에 다시 자세히 말해줄게.”

“그건 그냥 동물 아닙니까?”

“처음에는 동물이었을지도 모르지만 지금은 아냐. 마기의 영향하에 놓인 동물들은 변이를 일으키게 되거든. 그리고 그 상태로 번식이 지속되어, 던전에 등록되어…… 어쨌든 몬스터야. 그것도 고블린보다 훨씬 무서운 몬스터지.”

좌우지간 던전도시의 던전은 그 층수에 맞는 수준의 몬스터밖에는 내보내지 않으니 말이다.

만약 던전 17층에 고블린이 나타난다고 해도, 던전 저층에 나타나는 고블린을 생각하고 덤벼들면 크게 낭패를 보게 될 터였다. 종에 따른 우열의 차이는 있지만 그럼에도 놈들은 강하고 지독했다.

“물론 함정으로 나타나는 몬스터는 여기서 제외하고. 어때, 간단한 룰이지?”

“아니, 제가 말하는 건 그런 동물 같은 몬스터 말고 좀 더 제대로 된…… 무시무시한…….”

“오크나 트롤 같은? 리자드맨이나 오우거 같은?”

“예, 그거! 그런 거!”

에반은 샤인의 말에 쓰게 웃었다. 아무리 어른스러워 보여도 결국 애는 애라는 생각이 들었다.

“오크는 16층부터. 트롤은 25층 보스로 첫 등장 하고 31층부터 일반 몬스터로. 리자드맨은 펠라티에나 가야 볼 수 있고, 오우거는 50…… 아니, 아직 셰어든에는 나타난 역사가 없어.”

셰어든 던전의 50층 보스로 첫 등장 하는 오우거는 다른 게임에서는 그저 중하급 수준의, 덩치 크고 힘만 센 무식한 물리 계열 몬스터 취급을 받게 된 오우거들의 체면을 아주 제대로 살려주는 끔찍한 괴물이다.

확실히 오우거가 마나를 다루지 못하는 것은 맞다. 그러나 그것은 그 모든 마나가 오우거의 괴력을 강화시켜주는 데 소모되었기 때문.

놈이 갈기는 주먹은 천안교단의 주교가 전력을 다해 만들어낸 실드를 부술 정도로 강력하며, 덩치도 큰데 터무니없이 날랜 데다 머리까지 제법 뛰어나 움직이는 패턴이 다양하기 때문에…… 정말 답이 없다.

'사제 계열이 거는 정신마법이 제대로 들어가느냐, 혹은 도적이 얼마나 빨리 함정을 투척해 놈을 멈추느냐가 공략의 키워드였지.'

물론 어느 정도 고인 플레이어들은 그런 오우거의 행동 패턴조차 외우게 되어 방패 하나 들지 않고도 여유롭게 놈의 공격을 피하고 칼질을 하며 잡을 수 있게 되지만 그건 게임이니까 가능한 일이고, 현실에서는 좀 다를 터였다.

"오우거는 아직 멀었다. 지금은 고블린이나 잡아."
"아니 누가 지금 당장 잡겠답니까. 그냥 언젠가 나중에는 그런 놈을 이길 수 있으면 좋겠다, 이런 겁니다."

에반의 냉철한 말에 샤인은 뒷머리를 벅벅 긁으며 대꾸했다.
몬스터들과 전투를 치를수록 자신의 실력에 자신감을 얻고, 그러면서도 발전 의지를 불태울 수 있다는 점에서 샤인은 실로 훌륭한 자세를 갖고 있었다.
에반은 만족스럽게 웃으며 그의 어깨를 두드려주었다.

"그건 내가 보증할게. 넌 오우거 따위는 발길질 한 방에 보내버릴 수 있는 강자가 될 거야. 지금처럼 열심히 하기만 한다면."
"……아니, 또 대놓고 그렇게 말해주면 부끄럽지 않습니까!"

대체 뭘 어쩌라는 건지 모르겠다. 에반은 얼굴을 붉히며 성큼성큼 걸어가는 샤인에게 소리쳤다.

"야, 그 앞에 함정 있어!"
"내가 그럴 줄 알았습니다!"

던전 2층을 완전 클리어하고 아래로 내려가는 층계참을 발견하기까지 그로부터 2시간이 더 걸렸다.
아무래도 중간에 보물상자 노가다를 조금 하는 바람에, 일행은 던전 1층을 클리어한 것보다는 조금 늦게 던전 2층을 클리어하게 되었다.
그럼에도 불구하고 그것은 충분, 그 이상으로 빠른 속도였다. 다른 초보 탐험가들이 듣는다면 '뭐? 날을 넘기지 않고 클리어한다는 게 가능해!?'라는 말을 하겠지. 심지어 그냥 돌파한 것도 아니고 완전정복이 아닌가!

[너의 레벨이 3으로 성장했다. 또 거하게…… 크흠, 실로 악랄하고 뛰어난 술수로 던전의 비밀을 풀어내고, 해소했다. 이는 그 누구도 이룬 적 없는, 앞으로도 이룰 자가 없는 대단한 업적이니.]

그러나 새로운 목표를 얻어 기쁜 마음으로 내달린 끝에 2층을 클리어하고, 레벨 업과 함께 듣게 된 신의 메시지는 흥분

되어있던 그를 싸늘하게 가라앉혀버리고 말았다.

[헤븐 프레스의 능력을 강화해주겠다. 앞으로 헤븐 프레스를 발동하고 대상을 쥐면, 그 대상은 쉬이 움직이지 못하게 될 것이다. 이로써 능력을 보다 효과적으로 사용할 수 있겠지.]

"아니, 기껏 스킬을 강화해주는 건 좋은데 왜 또 이걸 강화해주냐고!"

게다가 세게 쥐면 아파서 잘 움직이지 못하게 되는 건 당연한 거 아냐!? 지금 이걸 강화라고 해주었단 말인가!

에반은 이제 신이고 뭐고 너무 화가 나서 눈물이 날 지경이었다. 아무리 던전에서 얻는 스킬의 복불복이 심하다지만, 2연속으로 스킬이 당첨되어 2연속으로 그 내용물이 꽝이라니 해도 해도 너무하지 않은가!

"공자님, 놀랍게도 새로운 능력…… 공자님 기준으로 말한다면 패시브 스킬을 얻었습니다! 방패로 적의 공격을 성공적으로 막아낼 경우 적으로부터 극미량의 마나를 빼앗아올 수 있게 되었습니다!"

"그거참 좋아 보이네요……."

"고, 공자님……?"

그리고 급격히 다운된 에반의 분위기를 눈치채지 못하고

또 기쁘게 스킬의 획득을 보고하러 온 라이한이 거기에 추가타를 넣고 말았다.

에반은 스트레스를 풀기 위해 격렬하게 양손을 잼잼해 슬라임을 터트렸다. 실로 현란한 테크닉이었다. 그러는 사이 샤인과 벨루아 역시 레벨 업의 후유증으로부터 벗어나 후우, 한숨을 내쉬었다.

"후…… 이제 진정됐습니다. 신체 자체가 변화하는 것이다 보니 아무래도 제법 적응이 힘드네요."

"기다려주셔서 고맙습니다, 도련님."

샤인과 벨루아는 이번에도 새로운 스킬을 얻지 못했지만, 대신 이번엔 신들이 그들이 익히고 있는 기본 전투 스킬…… 즉 샤인의 '쌍단검술'과 벨루아의 '마녀의 길'—마력 운용을 비롯해 마나를 다루는 마녀의 섭리가 응축된 고위 스킬이었다—의 레벨을 1씩 올려주었다.

이미 그 스킬들의 레벨이 높았던 만큼 스킬레벨이 1 오른다는 것은 굉장히 기뻐할 만한 일이었다.

더구나 2레벨이 되었을 때만큼이나 3레벨이 되며 찾아온 신체의 변화가 커서, 그들은 새로운 스킬을 얻지 못했어도 전혀 섭섭한 표정이 아니었다.

"너희 말을 듣고 보면 확실히 신체에 직접 노골적인 변화가 온 것 같은데."

"예. 키가 좀 컸습니다. 팔도 아주 조금 길어지지 않았나 싶은데."

"그렇……습니까."

에반은 그제야 샤인과 벨루아의 신장이 조금씩 늘어난 것을 확인했다. 얼굴 골격, 그 외에 신체 라인도 조금이지만 변화가 온 것 같았다. 보다 윤곽이 분명해졌다고 해야겠지.

"애초에 정상이 아니었던 몸을 던전레벨을 올리면서 바로잡는 건가……. 아니, 그런 건 사전에 가이드라도 내줘야지, 우리가 지금 들어오지 않았으면 평생 몰랐을 것 아냐."

"전 도련님이라면 이것도 알고 계실 줄 알았는데."

"알았으면 조금 무리를 해서라도 더 일찍 들어왔지. ……뭐, 늦지 않았으니 됐나 싶긴 하다만."

원래 그들은 신인족인 만큼 또래 아이들보다 성장이 조금 늦는 편이었는데, 그나마 셰어든 가의 수련으로 망가진 신체 밸런스를 조금씩이나마 되찾고 있었다.

그런데 이번에 그것이 한꺼번에 해결되면서 단숨에 키까지 큰 것이다. 이런 근본적인 변화가 몇 층까지고 계속되지는 않겠지만, 어린 나이에 이런 식으로 교정을 끝내두는 쪽이 앞으로의 성장에도 확실히 도움이 될 터였다.

'그러고 보면 게임 속에선 사일런트 나이트도 혈안마녀도 그리 발육이 좋은 편은 아니었지. 이미 신체가 완전히 자란 후에 던전에 들어가게 돼서, 던전레벨을 올렸어도 그게 뒤늦었던 것일지도 몰라.'

하지만 지금은 아니다. 이들은 어린 나이에 셰어든 가에서 수련을 시작했을 뿐만 아니라 던전에 들어와 교정까지 해치웠으니 요마대전 3에서 보이던 모습과는 전혀 다른 모습으로 성장할 수 있게 될 터였다.

또한 지금 샤인과 벨루아가 몸으로 증명하고 있듯 올바르게 발달한 신체는 스테이터스와 스킬의 효율을 극대화해줄 터, 그들이 신체적 성장을 마쳤을 땐 그들의 외관뿐만 아니라 능력 면에서도 게임과는 차원이 달라질 것이다!

'어라. 지금 시점에서도 이미 게임과는 차원이 다른 수준의 훌륭한 기반을 다져놨는데 여기서 더 강해지면, 대체 이 녀석들 어디까지 세지는 거지……?'

문득 이들의 미래를 상상해본 에반은 그만 몸을 부르르 떨고 말았다. 혹시 자신은 열어선 안 되는 상자…… 그래, 상온에 놔둔 지 일주일이 지난 케이크의 상자를 열어버린 것과도 같은 짓을 한 것은 아닐까.

"이렇게 되면 폴과 마리를 비롯한 다른 신인족 아이들도 빨리 던전에 데려와야겠는데."

"그래. 샤인이 부단장이니까 알아서 해."

"이 자식이……."

에반은 자신의 속내도 모르고 태연히 대화를 주고받고 있는 자신의 충성스러운 하인들을 보며 마음이 조금 심란해지고 말았으나, 결국 좋은 게 좋은 거라고 생각해 납득하기로 했다.

대신 지금부터는 그들의 대우를 조금 더 좋게 해줘야겠다고 다짐했다. 혹시 모르니까! 인간이라는 건 혹시 모르는 거니까!

"그럼 도련님, 이제 3층으로 가시죠! 성장하고 있다는 게 확실히 체감이 되니까 이렇게 가만히 있을 수가 없습니다. 빨리 5층까지 가고 싶어요."

"……동의합니다. 저도 강해지고 싶습니다."

"응, 안 돼."

에반은 던전레벨 3으로 올라 한창 의욕을 불태우고 있는 소년, 소녀에게 냉정하게 답했다.

"우리가 던전에 들어온 지 만으로 열다섯 시간이 넘었어.

잠도 안 자고 전진할 생각이야?"

"어, 그러고 보니까 잊고 있었습니다……."

"……."

아마 그럴 것이다. 이들은 던전이라는 특수한 환경이 주는 고양감과 시간감각의 마비, 전투로 인한 흥분, 연속적인 레벨 업으로 인한 신체능력 상승, 그 모든 것이 버무려져 생체신호까지 느끼지 못하는 상태가 되어 있었다.

그리고 에반은 그럴 때가 가장 위험하다는 것을 잘 알고 있었다. 특히나 레벨 업으로 인해 지나치게 흥분한 지금은 실수가 발생하기 쉬웠다. ……그리고 던전은 사소한 실수가 죽음을 불러오는 곳이다.

"던전에 들어온 탐험가에게 가장 중요한 건 전투도 업적도 아냐, 바로 휴식이지. 제때 쉬어주지 않으면 정말로 힘을 내야 하는 상황이 왔을 때 힘을 낼 수 없어. 전력을 다해 내달리는 게 아니라, 언제든 전력을 낼 수 있도록 힘을 비축해두는 것. 이게 던전의 기본이다. 알겠어?"

"큭, 확실히 던전에 들어오기 전에 해주셨던 말씀이군요. 죄송합니다."

"도련님 앞에서 추태를 보였습니다. 죄송합니다."

에반의 말을 듣고 어깨를 움츠리는 샤인과 벨루아의 모습이 꼭 풀이 죽은 강아지를 보는 것만 같았다. 에반은 피식 웃으며 아이들의 머리를 쓸어주었다.

"괜찮아. 던전은 처음이니까 이제부터 배워 가면 되는 거야. 그럼 이제 아까 찍어뒀던 쉼터로 가자. 밥도 먹고 일도 보고 잠도 자야지."
"알겠습니다."
"예, 도련님."

에반은 쉼터까지의 경로를 설정하고 전진을 지시했다.
라이한은 분명 다른 일행과 함께 처음 던전에 들어왔을 터인 에반이 어째서 저렇게 베테랑 느낌을 내며 일행을 지휘할 수 있는 것인지 너무나 궁금했지만, 에반이라면 그것도 당연한 것이라 여겨 결국 침묵하고 앞장섰다.

"아무도 없지? 좋아, 일단 입구 닫자."

쉼터, 즉 세이프 룸에 도착한 에반 일행은 우선 쉼터 내부를 확인한 후 입구를 폐쇄했다. 원래 돌문이 설치되어 있어 그것을 조금 밀면 쉽게 닫혔는데, 거기에 걸쇠까지 걸 수 있었다.

"이렇게 닫아놔도 됩니까? 혹시나 다른 사람들이 쉼터를 필요로 한다면…….”

“그러면 너는 이 좁은 방 안에서 정체를 알 수 없는 다른 파티와 밤을 보낼 자신 있어? 나는 없어.”

“끙, 그것도 그렇네요. 역시 아직 배워야 할 게 많습니다.”

그렇기에 세이프 룸은 선착순이다. 먼저 와서 방을 차지한 자들이 절대적인 우선권을 지니는 것이다.

다만 나중에 도착한 이들이 정말로 쉼터의 도움을 절실히 필요로 한다면 교섭을 통해 안에 들여보내줄 수는 있을 것이다.

“좋아, 그럼 혹시 모르니 경보 장치 깔고, 함정도 조금 깔고…….”

“아니, 함정 설치는 도둑 계열 직업이 주로 하는 거라고 말씀하시지 않았습니까?”

쉼터에 들어와서도 여기저기 부지런히 움직이며 안전장치를 마련하는 에반의 모습에 샤인이 기가 막혀 묻자, 에반은 훗, 웃으며 여유롭게 해설해주었다.

“그래서 이쪽으로 전직하는 도적들은 연금술을 배우기도 해.”

“연금술이라는 건 정말 대단하구나…….”

"아, 루아. 불 좀 부탁할 수 있을까?"
"물론입니다."

벨루아는 자신이 다루고 있던 여우불 중 하나를 에반 쪽으로 보내주었다. 크기는 자그마해도 화력이 상당해 요리 용도로도 충분히 쓸 수 있었다.

물론 여기서 본격적인 요리를 할 생각은 없었다. 그저 세이프 룸 한편에 설치된, 마실 수 있는 깨끗한 물이 흘러나오는 샘에서 물을 받아 냄비에 붓고 그 안에 스톡 큐브—닭과 돼지 등을 넣고 푹 끓여낸 육수를 식혀 굳힌 것—를 넣어 거기에 쌀과 준비해온 다른 야채, 고기를 넣어 끓이는 정도였다.

"흐어어어, 냄새 좋네요. 배고픕니다. 왜 여태까진 몰랐지?"
"……부끄럽습니다, 도련님. 제가 조금 흐트러진 모습을 보여도 이해해주시면 감사하겠습니다."
"던전에서 흐트러지지 않는 게 용하다."
"으윽, 팔이 격하게 저립니다. 던전레벨이 올랐는데도 이 정도라니."

한창 치열한 전투를 벌이다 휴식을 취하게 되니 그제야 비로소 여태껏 무시해왔던 피로감이 엄습해왔다.

샤인은 스튜가 끓으며 나는 향기로운 냄새에 배를 움켜잡았고, 벨루아는 살포시 앉아 제 다리를 주물렀다. 라이한은 하루 종일 수백, 수천 마리 몬스터의 공격을 막아냈던 자신의 양팔을 매만지며 혀를 내둘렀다.

"치유마법이라도 걸어두세요. 샤인이랑 벨루아한테도 부탁해요."

"그…… 공자님은 괜찮으십니까?"

"전 멀쩡해요. 뭐 제대로 한 게 있어야지."

쉼터에 들어와 자신의 몸 상태를 객관적으로 인식하자마자 제각기 앓는 소리를 내기 시작한 일행과는 달리 에반은 멀쩡하다 못해 기운이 넘쳤다. 그가 요리를 주도적으로 맡아서 하고 있는 것도 컨디션이 완벽했기 때문이었다.

"아무리 생각해도 공자님이 가장 정력적으로 움직이셨던 것 같습니다만……."

"무슨 말도 안 되는. 나도 내 역할이 제일 어정쩡한 걸 아니까 할 수 있는 걸 하는 거죠."

라이한은 에반이 던전 2층을 클리어하기까지 했던 어정쩡한 일들의 목록을 떠올려내려 하다가 이내 포기했다. 하나하나 말하며 에반에게 따지는 것도 이상했다. 뭣보다 그가 납득하지 않을 것이다.

'타인의 가치는 그리도 높게 보시면서 왜 자신의 가치는 항상…….'

그때, 절레절레 고개를 흔들던 라이한에게 에반이 막 생각났다는 듯이 말했다.

"아, 쉼터 안쪽에는 간이 화장실도 마련되어 있으니까 식사하기 전에 다녀오세요. 다들 교대로 다녀오죠."

실은 유일한 여성인 벨루아를 위해 간이 칸막이까지 설치해두었다. 그러나 에반이 벨루아를 배려해주는 것은 하루 이틀 일이 아니었기 때문에 새삼스럽지는 않았다.

단지 조금의 감동과 마음이 한층 더 포개어져 쌓일 뿐이다.

"흐어어어어어어!"

그런 중, 자신의 순번이 되어 화장실로 향했던 샤인이 어느 순간 비명을 질렀다.

대체 무슨 일인가 싶어 일행이 전부 전투를 준비하며 일어서는데, 곧 샤인의 것과는 다른 목소리가 들려왔다.

[킥킥, 놀랐구나. 놀랐다.]

"화장실에서 일 보고 있을 때 나타나면 당연히 놀라지!"

[네가 내 말을 안 믿어주니까 그렇지!]
“아, 유령이구나.”

샤인의 브레이슬릿에 깃들어있던 유령이 갑자기 모습을 드러낸 모양이다. 사실 요즘도 간혹 있는 일이기에 일행은 별 신경을 쓰지 않았는데, 다음 순간 들려온 말에 전원 몸이 굳어버리고 말았다.

[나 진짜 레벨 올랐는데. 신이 나한테도 그랬다니까. 내 레벨이 3으로 성장했다고. 아깐 2라고 했는데 방금은 분명 3이라고 했어.]
“……레벨이 올라?”

……지금 뭐, 유령이 레벨 업을 했다고?

Chapter 19.
에반 디 셰어든, 저주를 받다

오랜만에 일행 앞에 모습을 드러낸 귀족 여성의 유령은 ―이름은 요마대전 2에도 나오지 않았고 본인도 기억을 하지 못했다― 에반 앞에서도 기죽지 않고 당당히 주장했다. 분명 자신에게도 신의 목소리가 들렸노라고 말이다.

"그래서 무슨 변화가 느껴졌는데요?"

대체 어떻게 아티팩트에 깃들어있을 뿐인 유령이 레벨 업을 할 수 있었는가, 애초에 그녀가 던전을 클리어하는 데에 어떤 식으로 공헌을 한 것인가.

그 외에도 다른 무수한 의문이 있었지만 전부 가설의 영역에 지나지 않을 터, 에반은 우선 그 사실을 받아들이기로 하며 그녀에게 질문했다. 돌아온 대답은 살짝 얼이 빠져 있었다.

[몸에 힘이 넘치는 기분……?]

"음, 그래서 구체적으로 뭔가 새롭게 할 수 있게 됐나요?"

[음. 으으음…… 그래, 얍!]

에반의 물음에 그녀는 돌연 에반의 손에 들린 국자를 향해 손을 뻗었다. 제법 먼 거리에 있었지만, 그 순간 에반은 국자에 가해지는 힘을 느꼈다. 지극히 미약했지만 원거리에서 영향력을 미친 것은 분명했다.

"염력이구나. 확실히 고위 고스트들은 염력으로 공격을 가해오지."

[그럼 혹시 나 이제 몬스터가 되는 거야……?]

"그 문제에 구체적으로 답변을 드리려면 마기, 마력, 신, 마신, 마왕에 대한 강의를 5시간 정도 해야 하는데 그러자니 귀찮고, 결론부터 말해 그냥 제정신만 차리고 있으면 괜찮아요."

"도련님, 저 진짜 이 여자랑 계속 같이 있어야 되는 겁니까……?"

에반은 유령에게 일어난 변화를 긍정적으로 받아들였지만 샤인의 안색은 처음 그녀에게 씌었을 때처럼 창백해져 있었다. 처음엔 어떻게든 되겠지, 나중에 성불시킬 수 있겠지, 현실도피적인 생각을 섞어 받아들였지만…… 이젠 그와 함께 레벨까지 오른다니!

정말로 파워 업을 거듭해 악령으로 클래스체인지한 여성에게 한평생 씌어 살아가야 하는가. 그런 진지한 고뇌가 그에게 자리하고 있었다.

"뭐 어때, 정말 이대로 강해지면 염력으로 네게 도움이 되어줄 텐데. 그나저나 진짜 특이하긴 하다. 원래는 테이머와 계약한 몬스터라 해도 던전을 내려간다고 레벨이 오르지는 않거든."

"지금 그런 걸 궁금해할 땝니까!"

"당연하지, 유령이 레벨 업을 하는 역사적 순간인데. 마도학계에 제출하면 바로 인기스타야, 인기스타."

그도 그럴 것이 던전레벨이 오르는 현상 자체가 신이 인간을 위해 준비한 안배니까. 그런데 테이머와 계약한 몬스터의 레벨은 올려주지 않으면서 샤인과 연결된 유령의 레벨은 올려준다니, 당최 기준을 이해할 수가 없었다.

그러나 어쨌든 좋다. 솔직히 나쁠 것이 없다. 아마 그녀가 깃든 브레이슬릿 또한 그녀의 레벨이 오르는 것으로 인해 성장하는 타입의 아티팩트일 것이다. 던전레벨이 오를수록 성능이 오르는 아티팩트라니 최고가 아닌가!

"유령님, 우리 샤인 앞으로도 잘 부탁드립니다."

[응, 나한테 맡겨둬.]

"도련님, 제 동의도 얻지 않고 멋대로 타인에게 제 안위를 맡기는 행위는 그만둬주시지 않겠습니까……!?"

유령은 믿음직스럽게 대꾸하곤 브레이슬릿으로 빨려 들어가 사라졌다. 한바탕 꿈이라도 꾼 기분이었으나 현실은 변하지 않았다. 에반은 참담한 표정이 되어있는 샤인의 어깨를 두드려주며 말했다.

"스튜나 먹고 힘내."
"에휴. ……읍, 이어 아이으에허(이거 맛있는데요)!"

샤인은 입이 댓 발은 튀어나와 스튜 그릇을 받아 들었으나, 이내 그것을 한 스푼 먹고는 그 자리에 흐물흐물 녹아내렸다.
에반은 그 모습을 보며 훗, 웃었다. 던전에서는 적절한 시기에 쉼터를 찾아 그 안에서 안전하게 밥을 먹을 수 있다는 것만으로도 큰 축복이다.
아마 완벽히 작성된 맵을 따라 시간 맞춰 쉼터에 들어올 수 있었던 이 녀석들은 그걸 모르겠지. 끝까지 모르는 것이 좋다. 필요한 때 휴식을 제대로 취하지 못하고 치르는 전투는 지옥이나 다름없으니까.

"후, 이걸로 정리 끝. 그러면 지금부터 딱 여섯 시간만 자고 일어나서 움직이자. 3층부터는 고블린 아처가 원거리에서 우리를 노리고 공격해올 가능성이 생기기 때문에 신경을 더 써줘야 하니까, 피로를 확실히 풀어두도록."

"알겠습니다."

사실 그들 파티에 라이한이 존재하는 것만으로 모든 몬스터의 적의를 그가 우선적으로 끌어당기기 때문에 그만 조심하면 되겠지만 에반은 그 얘기까지는 하지 않기로 했다. 명색이 던전인데 너무 긴장감이 없는 것도 조금 그렇다고 생각했으니까.

'이번 던전행은…… 음, 드림팀이 너무 심하게 드림팀이었다는 말로 정리할 수 있을까…….'

에반은 침낭에 들어가 눈을 지그시 감으며 생각했다. 솔직히 처음 던전에 들어오면서 조금 정도는 고난다운 고난이 있을 줄 알았는데 너무 쉬워서 웃음이 나올 뻔했다.

적어도 5층까지는 클리어해야 무난히 던전을 버텨낼 줄 알았던 샤인이 별 스태미나 소모도 없이 고블린들을 썰어댈 때부터 어렴풋이 예감을 하긴 했지만, 그가 구성한 팀은 정말 최강이었다.

'샤인이야 스태미나 소모를 아끼는 방식으로 움직였다 치고, 벨루아…… 고작 열 살 나이에 그 수준의 마력 운용은 정

말 말도 안 돼. 어머니한테 마녀 종족에 대한 얘기를 들었지만 그래도 이해가 안 돼.'

그뿐인가? 필요한 때에 따라 화염과 얼음을 번갈아 구사할 수 있는 그녀의 마도는 어디에서든 최고의 능력을 발휘할 것이다.

그나마 단점이었던 마나양도 이번에 뜯어고치게 됐으니, 밖에 나가 다시 마도를 수련하기 시작하면 그녀의 경지는 단숨에 쭉쭉 오르게 될 것이라 장담할 수 있었다. 아마 후작부인도 경악하리라.

'하지만 누구보다 이번 던전 공략 난이도를 낮춘 주범은…….'

바로 신인족도 뭣도 아닌 라이한이다. 아니, 사실 당연한 거지만. 라이한이 누군가. 요마대전 4에서 가장 악명이 높은 중간보스가 아니었던가!

방패를 빼앗아 그를 이긴다는 해법이 발견되기 전까지는, 그는 여태까지 등장했던 요마대전 시리즈의 모든 보스를 압도적으로 웃도는 난이도를 자랑하는 괴물이었던 것이다!

'그런데 그 형을 일찍부터 붙잡아 가장 효율적으로 방패술을 수련하게 만들었으니 우리가 적의 공격을 염려할 필요가 아예 없었지. 만에 하나라도 몬스터의 어그로가 다른 사람한

테 될 리가 없고, 이 형이 몬스터한테 공격 한 대라도 맞을 리가 없고.'

인내하는 방패, 무척 훌륭한 스킬이지만 이대로 라이한이 성장한다면 솔직히 그에겐 별 필요가 없을지도 몰랐다.

아니, 이미 모든 공격을 방패로 다 훌륭히 막아서 데미지를 경감시키고 있는데 여기서 더 방어력을 키워서 뭘 할 것인가.

차라리 3레벨이 되며 얻은 '드레인 실드' 쪽이 훨씬 좋아 보였다. 적으로부터 마나를 갈취할 수 있다니! 비록 '극미량'이라는 극악의 조건이 달려 있지만 그건 스킬을 수련하다 보면 차차 나아질 것이고, 수련 대상은 던전 도처에 널려 있다.

'내가 얻은 똥 같은 스킬과는 달리 형이 얻은 건 어느 쪽이든 사기스킬이야. 이런 스킬을 던전의 1, 2층에서 얻었다는 사실을 다른 이들이 알게 된다면 정말 경악해 까무러치겠지……. 후폭풍이 두려워질 정도라니까. 아무한테도 말 안 할 거지만.'

거기에 더해…… 뭐, 자신이 던전에 대해 잘 알고 있다는 것이 큰 역할을 했다는 점을 부정할 수는 없다. 함정을 미리 발견할 수 있었던 것도 피로를 줄이는 데에는 도움이 되었겠지.

솔직히 연금술이 이렇게나 만능기술일 줄은, 요마대전 2에서 버나드의 사기성을 확인해놓고도 미처 완벽히 깨닫지 못하고 있었다. 잘 키운 버나드 한 명, 히로인……이 아니라 동료 열 명 안 부럽다는 말이 괜히 나온 것이 아니었다.

'지상에 올라가면 투척이랑 같이 더 열심히 배워야겠어. 역시 내가 나아갈 길은 격투술이 아니라 연금술에 있다니까. 아, 그리고 할아버지한테 불사조의 깃털도 보여주고…… 엄청 놀라겠지.'

에반은 불사조의 깃털을 보고 경악할 버나드의 얼굴을 떠올려보며 침낭 안에서 혼자 킥킥 웃었다. 그런데 그러던 중 갑자기 인기척이 느껴졌다.

"……?"
"……스으."

조심스레 눈을 떠보니, 침낭 속에 쏙 들어간 채 벨루아가 자신 쪽으로 데굴데굴 굴러와 있었다. 눈을 지그시 감고 있는 것을 보고 있자니 아무래도 자고 있는 모양이었는데…….

설마 벨루아에게 잠버릇이 있었단 말인가? 에반은 피식 웃으며 그녀를 침낭 안에 제대로 눕혀, 자세를 바르게 해주었다.

그리고 자신의 침낭으로 돌아와 눕는데 무게감이 느껴졌다. 벨루아가 잠결에 손을 뻗어 그의 소매를 붙잡고 있었던 것이다.

"<u>스으으</u>……."

"참."

에반은 나직이 헛웃음을 터트리며 벨루아의 잠든 얼굴을 바라보았다. 잠자리가 많이 불편한지 눈매는 살짝 찌푸린 채이지만 그럼에도 무척 아름답다.

두 눈으로 보고 있어도 믿기지 않는 매혹적인 외모였지만, 그 안에는 어린 시절의 그녀의 모습이 고스란히 묻어 있었다.

실로 오랜만에 그녀와 처음 만났을 때 그녀의 모습이 떠올랐다. 너무 빠르게 성장하고, 너무 빠르게 강해져 예전 모습은 전혀 남아있지 않은 줄 알았는데…… 지금 보니 완전히 일곱 살 겁 많은 어린아이 그대로이지 않은가.

'역시 엄청 귀엽네.'

한때는 그녀가 성장하는 모습을 보며 '절대 마녀를 화나게 해선 안 돼'라고 생각했었지만…… 그것은 어쩌면 에반의 착각, 아니, 무례였던 것인지도 모르겠다.

그녀를 사람으로서 존중하는 것과 막연히 두려워하는 것은 구분되어야만 하지 않겠는가. 그녀는 더 이상 혈안마녀도 아니고, 언제 폭발할지 모르는 폭탄도 아닌데.

'루아는 루아인데 말이지…….'

반드시 붙잡고 놓지 말아야 하는 과거의 지식도 있는 반면, 일찌감치 내버리는 게 좋은 기억도 있는 것이다. 그녀는 더 이상 에반의 사망 신호가 아니었다.

그는 소매를 잡은 벨루아의 손을 일단 놓았다가, 자신의 손을 뻗어 그녀의 손을 맞잡아주었다. 비로소 그녀의 눈매가 풀어지는 것이 보였다.

만족한 듯 편안한 숨소리를 내며 잠에 빠지는 그녀를 보며 에반도 절로 잠이 몰려왔다.

다음 날, 충분히 휴식을 취한 일행은 던전 3층으로 내려가 재차 던전 탐색을 진행했다.

던전 3층은 본격적으로 몬스터에게 '직업'이라는 것이 나타나기 시작하는 분기점으로, 몬스터 체험판인 1층, 함정 체험판인 2층과는 달리 본격적인 '던전'이라고 불러 마땅한 장소였다.

"그러니까 다들 눈 똑바로 뜨고 움직여. 전신에 긴장감을 줘. 훨씬 빨리 피로해지겠지만, 던전이란 원래 그런 환경이야."

1층과 2층에서 죽어나가는 분수 모르는 탐험가도 많지만, 그들을 제외하면 가장 많은 숫자의 탐험가가 사망하는 장소가 바로 던전 3층이었다.

던전레벨도 3이 되었겠다, 자신이 던전에 충분히 적응했다 여겨 마음이 풀어져 있을 때 갑자기 날아든 고블린 아처의 화살에 목이 꿰뚫리는 탐험가가 다수,

2층보다 조금 더 은밀하게 감춰진 함정을 모르고 밟아 죽는 탐험가도 다수,

1층, 2층에 비해 강화된 고블린들의 전력을 제대로 파악하지 못하고 덤볐다가 죽는 탐험가가 또한 다수 있었다.

"대체 던전은 인간의 피를 얼마나 빨아들이고 있는 겁니까."

"그나마 지금은 어느 정도 진정된 거야. 처음 던전이 발견되었을 때는 정말 심각했거든? 전 인류의 15% 이상이 던전에서 사망했다는 통계도 있을 정도니까."

"저희야 신인족이니 힘을 원해서 들어간다지만 대체 다른 사람들은 왜 그렇게 미친 듯이 던전에 목을 매는 겁니까?"

"답은 간단해. 우리가 던전에 들어와서 얻은 보물들을 생각해봐."

물론 원래는 던전 1, 2층에서 이런 금은보화를 얻는 것부터가 말이 안 되지만 어쨌든 던전에서 얻은 건 맞으니까. 에반의 말에 잠시 생각해보던 샤인은 곧 고개를 끄덕이고 말았다.

"쓥, 때론 돈이 목숨보다 소중할 때가 있으니까요."

"당연하지. 그런 사람들의 욕망이 모두 모여드는 던전도시의 치안이 그나마 유지되고 있는 게 전부 우리 아버님과 같은 던전도시의 영주가 불철주야로 노력하고 있는 덕인 거야."

그 노고를 일부나마 짐작하고 있기에 에반은 정말로 아버지 소라인 후작이 자랑스러웠다.

게임에서 막연히 스토리로 접했을 땐 그저 '이 새끼 호감도만 높여놓으면 이 게임 난이도가 급하락!' 하고 단순한 생각으로 덤볐지만 지금은 결코 그렇지 않았다. 셰어든 가문이 지고 있는 업의 무게를 그는 충분히 이해할 수 있었다.

"음?"

그러던 중, 문득 라이한이 소리를 냈다. 그의 시선은 전방 골목 구석에 가 닿아있었다. ……보다 정확히는, 그 골목에 이어져 있는 계단에.

그것은 에반이 기다리고 있던 것이기도 했다. 썩 좋지만은 않은 의미로.

"공자님, 다음 층으로 내려가는 층계를 발견한 것 같습니다."

"그러네요. 그렇다면 여기서 문제입니다, 다음 층으로 내려가는 계단을 발견했는데 어째서 우리 레벨이 안 올랐을까요."

"엇, 그러고 보니 그렇군요. 업적이 부족해서?"

"업적이 부족하면 원래 부족하다는 메시지를 들을 수 있어요."

"그렇다는 건……."

에반의 지당한 지적에 라이한이 뒤늦게 깨닫고 눈을 휘둥그레 크게 떴다.

"혹시 저건 함정입니까?"

"아, 도련님이 어제 나쁜 방향의 버그인지 뭔지가 있다고 했는데 그게 혹시 저겁니까?"

"정답. 멋모르는 탐험가가 모르고 걸리면 반드시 죽는 셰어든 던전 최악의 함정이기도 하지."

지금은 그나마 층계와의 거리가 조금 있으니 냉정하게 생각이라도 할 수 있지, 게임 내에서 저걸 발견하면 무심코 클릭하기가 쉽다.

아무리 보아도 아래층으로 내려가는 층계로 보이는 저 계단은, 실제로 던전의 아래층으로 이어지기는 하는데…….

"4층이 아니라 75층으로 이어진다는 게 문제지."

"……예?"

"저 계단, 75층으로 이어진 계단이라고. 심지어 한 번 내려가 버리면 돌아올 수도 없어. 심상치 않다는 걸 깨닫고 다시 계단을 올라와도 74층인 데다, 심지어 자신이 타고 온 계단이 사라져버리거든."

대체 어째서 이런 버그가 만들어졌는지 누구도 모른다. 어쩌면 개발자도 모를지도 모른다. 그냥 그렇다. 아무튼 저 계단으로 내려가면 75층이 나온다. 일단 계단에 발을 뻗는 순간 게임이 끝나버린다.

그렇다면 게이머들이 저 계단을 뭐라고 불렀을까? 그렇다. 너무 뻔하지 않은가.

"천국의 계단……."

"이름 한번 겁나 살벌하네요……."

에반의 중얼거림에 샤인이 식은땀을 흘리며 중얼거렸다. 벨루아와 라이한은 본능적으로 한 발짝씩 뒷걸음질을 쳤다.

"내가 아버님한테 제일 많이 들은 얘기도 저 계단에 대한 경고였어. 물론 던전도시의 각종 기관에서도 주기적으로 3층에 함정 계단이 있다고 조심하라며 경고를 하지만, 그래도 꼭 1년에 몇 팀은 저 계단의 제물이 되곤 하지. 그러니까 아예 접근을 하지 마. 그냥 보지도 마."

"꼬, 꼭 기억하겠습니다……."

에반의 진지한 말에 일행은 그저 고개를 끄덕일 수밖에 없었다.

그 후, 일행은 3층의 다른 모든 업적을 클리어하고 무사히 4층으로 내려가는 계단을 발견할 수 있었다. 이번엔 아무도 스킬을 얻지 못했지만, 신이 그들을 배려하기나 한 듯 모두가 나란히 이동속도 증가 버프를 받을 수 있었다. 던전 4층을 마음껏 내달리라는 뜻이었다.

모두가 족히 2주일 이상 걸릴 것이라 예상했던 던전 5층의 완전공략까지 이제 불과 조금이 남아있었다.

[너의 레벨이 5로 성장했다. 던전에 숨은 모든 비밀을 파헤치는 것만 같은 업적의 연속에 모두가 감탄하여 스킬들을 전체적으로 한 단계 성장시켜주겠다. 투척과 헤븐 프레스, 그리고…… 악력과 기습이 성장할 것이다.]

던전 4층을 완전정복하고 이른 층계참에서 에반은 던전레벨이 5로 성장하는 것과 함께 무려 네 가지 스킬의 레벨이 1씩 오르는 축복을 받았다.

게임 시절에는 이 축복을 받아도 '아, 기왕이면 좀 레벨 높은 스킬들로 골라서 올려주지!'라고 생각했지만, 지금 와서 이 축복을 받아보니 여기에는 생각도 못 했던 부가효과가 있었다.

'나한테 기습 스킬이 진짜로 있었구나!?'

그렇다. 자신조차 존재 여부를 모르고 있던 스킬이 운 좋게 걸려서 성장하면 그 스킬의 존재를 알게 되는 것이다!

악력 스킬의 존재는 대충 추측하고 있었지만 기습까지는 확신하지 못했는데 이번에 누군지 모를 신의 메시지가 그것을 확정해준 것이다.

'슬라임이 나를 인식하기 전에 마격을 걸어 죽여 버리는 수련, 이거 확실히 기습으로 인정이 되고 있었구나……!'

에반은 깊은 깨달음을 얻었다. 그리고 만약 그렇다면, 그는 슬라임 수련을 하며 매 순간순간 기습 수련을 하고 있는 것이나 마찬가지. 잘하면 악력 스킬과 비슷한 레벨일지도 몰랐다!

'그런데…… 의미가 없네.'

그렇다. 그는 어디까지나 뒤에서 파티를 보조하는 후위, 적에게 기습을 걸 일이 없다. 설령 그가 전위로 나선다고 해도 격투가라는 특성상 기습에는 그리 적합하지 않으니 마찬가지로 의미가 없다.

보다 정확히 말하자면, 의미가 있기는 한데…… 그냥 슬라임 수련에나 의미가 있었다. 슬라임을 쥐는 게 기습으로 인정되는 이상 당연히 기습 스킬로 인해 상당한 데미지가 추가되는 상황일 테니까.

기습 스킬의 존재를 알게 된 이상 굳이 허벅지를 꿈틀거리는 사전동작까지 섞어가며 슬라임을 일일이 마격으로 죽일 필요도 없을지도 모르지만, 이미 그게 습관이 된 이상 굳이 고칠 생각도 없었다.

'나중에 훨씬 강한 슬라임을 소환하게 되어도 수월하게 수련할 수 있을 테니까, 거기에 보탬이 되는 셈이라고 생각하지 뭐…….'

처음엔 놀랐다가, 다음엔 기뻤다가, 그다음엔 허무했다가, 그다음엔 가라앉는 네 단계의 감정변화를 거친 에반은 기습과 악력과 마격이 조화를 이루는 슬라임 수련을 재개하며 일행을 돌아보았다.

그러자 샤인과 벨루아가 아주 살짝 미묘한 표정을 짓고 있는 것이 보였다.

"왜, 별것 없었어?"

"아뇨, 좋았습니다. 집사 스킬이 성장했거든요. 정확히는 '고위 집사'이기는 한데…… 그런데 그보다 중요한 게, 던전레벨이 오를 때의 그 쾌감이 줄어들었습니다."

"좀 더 자세히."

"여태까지는 어긋나있던 신체가 반쯤 강제로 교정되는 느낌이라고 말씀드렸잖습니까. 그런데 그 정도가 줄었다는 얘깁니다. 아무래도 이제 거의 제자리를 찾은 것 같습니다."

"아마 다음 층이 마지막이 아닐까 싶습니다."

샤인의 말에 벨루아가 보충했다. 에반은 그 말을 충분히 알아들었다.

신인족으로 태어나 입은 페널티, 근본부터가 불균형한 신체. 그것을 던전의 5층까지 클리어해 6레벨이 되는 것으로 비로소 완전히 떨쳐낼 수 있다는 얘기다.

"그렇다는 말은…… 역시 플로어 마스터를 넘어야만 하는구나. 그게 신이 준비한 시련인가, 힘의 자격을 증명하라는 거야, 뭐야. 멋대로 고난을 안겨놓고 그럴싸하게 시련까지 조정하고 잘들 한다."

"그만큼 저희가 던전에서 입을 수 있는 수혜가 크다는 말이겠죠. 여태까지가 워낙 격렬해서, 6층 이후로는 직접 겪어봐야 알겠습니다만……."

"신을 원망하는 마음은 이제 없습니다. 극복했으니까. …… 도련님 덕분입니다."

에반은 욕지기를 내뱉었으나 샤인과 벨루아의 태도는 지극히 담담했다.

던전레벨이 오르는 과정에서 마음까지 성숙해진 것인가. 아니, 아마 몸이 강해지면서 마음에도 여유가 생긴 것이리라.

"공자님, 이제 어떻게 하시겠습니까? 어제는 1층과 2층을 클리어하고 몇 시간 휴식을 취했습니다만, 오늘은 속도의 축복이 있어 상당히 빨리 4층까지 정복한 느낌이 듭니다. 체력에도 여유가 있고, 이대로 5층까지 내려가도……."

신인족들과의 대화를 마치고 돌아서는 에반에게 라이한이 앞으로의 방침을 물었다. 확실히 그의 말이 지당했다.

보물상자 노가다를 했던 2층에 비하면 3층의 클리어 속도는 훨씬 빨랐고, 4층은 아예 이동속도가 증가하는 버프를 달고 왕성하게 움직인 덕에 고작 세 시간 만에 완전정복을 할 수 있었다. 결국 어제의 활동시간에 비하면 아직 절반 정도밖엔 움직이지 않은 셈.

그것은 사실 1, 2층과 달리 미개방된 채 남아있는 업적의 숫자가 얼마 없었기 때문에 가능한 일이기도 했다.

마냥 얼을 타기만 하는 1, 2층과 달리 그래도 4층부터는 탐험가들이 좀 안정적으로 탐험을 하며 던전의 비밀을 탐구하기 시작하기 때문이다.

"하지만 안 됩니다. 지금 우리에겐 충분한 휴식이 필요해요. 컨디션을 만전으로 만들어놓고 5층으로 진입해야 한다는 얘깁니다."

"이 이상으로 말입니까?"

"네."

라이한의 제안은 실로 타당했으나 에반은 그것을 단칼에 잘랐다. 안타깝게도 그는 한 가지 사항을 고려하지 못하고 있었다.

"5층은 플로어 마스터가 위치하고 있는 층입니다. 1층부터 4층까지를 어떻게 클리어했느냐보다, 5층을 어떻게 클리어하느냐가 더욱 중요합니다. 있는 업적 없는 업적 다 끌어모아서 보상을 끌어올려야죠. 왜냐면, 5층에는 업적상자가 나오니까."

"과연, 그래서 휴식을……."

사실 이유는 그뿐만이 아니다. 5층 단위로 이어지는 플로어 마스터 층은 대개 특별한 보상이 기다리는 경우가 많다.

스킬을 얻을 확률도 다른 층을 클리어했을 때에 비해 높고, 뭣보다도 중요한 것은 직업! 새로운 직업을 얻을 확률이 존재한다!

'이게 진짜지. 신체능력과 레벨의 위력을 끌어내는 게 스킬이라면, 거기서 다시 스킬의 위력을 끌어올려주는 게 바로 직업이니까.'

이미 존재하는 직업을 업그레이드시켜주거나 새로운 직업을 만들어주는 등, 던전보상으로 획득할 수 있는 직업 중에는 신체나 마력, 스킬에 굉장한 보정이 가해지는 것들이 많았다.

사일런트 나이트와 혈안마녀는 둘 다 샤인과 벨루아의 닉네임이면서 동시에 그들의 직업명이기도 했는데, 당연히 던전에서 얻어 나온 것이었고 둘 다 무지막지하게 강했다. 아티팩트로 전신을 도배하는 것보다도 좋은 직업 하나가 미치는 영향이 클 수도 있었다.

"그리고 아마 우리는 지금 직업이 없는 상태일 거거든. 라이한 형은 아마 있었겠지만 사제직 박탈당하면서 사라졌을 가능성이 크고."

"실제로 사제직을 박탈당할 때, 제가 지닌 신성력이 줄어드는 느낌이 있었습니다. 사제 스킬의 효율도 조금 줄었었고…… 전 그게 신의 축복이 제게서 거두어지는 것이라 여겼는데 그냥 직업이라는 것이 사라졌기 때문이었습니까?"

"네. 하지만 교단에 속해있어야만 신을 믿을 수 있는 건 아니니까 아마 던전을 나아가다 보면 다시 전신의 사제로 인정을 받을 수 있을 거예요. 더 중요한 건, 형의 활약 여부에 따라 그중에서도 보다 높은, 혹은 특별한 사제직을 얻을 수도 있다는 거죠."

"특별한 사제직……."

마력이라도 깃든 것 같은 에반의 말에 라이한의 표정이 오묘해졌다. 자신이 어디에 있건 전신을 믿는 마음은 변화하지 않을 것이라 생각했지만 그래도 사제직을 되찾을 수만 있다면 얼마나 좋겠는가.

나아가 특별한 사제직이라면! 전신과 보다 가까운 곳에 이를 수 있다면!

"우리도 마찬가지야. 원래 첫 스타트가 제일 중요한 법이거든. 처음에 좋은 직업을 얻어둔다면, 당연히 다음에는 더 좋은 직업을 얻을 수 있겠지. 그렇기 때문에 직업을 얻을 확률이 있는 플로어에는 한층 기합을 넣고 도전해야 하는 거야."

"전 제 직업은 집사가 될 거라고 생각했습니다만."

"저 역시 도련님의 시녀로 충분히 만족합니다."

글렀다 이 녀석들은. 에반은 보다 강한 어조로 말했다.

"그건 너희 마음과 행동만으로도 충분해. 이 세상에서 직업이란, 너희가 세상에 남길 수 있는 족적의 크기를 상징하는 것이나 매한가지라고. 보다 직접적으로 말하면, 힘. 몬스터를 쳐부수고, 너희가 보다 큰 자유를 누릴 수 있게 해주는 힘."
"그거야…… 항상 느끼고 있죠."
"……노력해보겠습니다."

어째 돌아오는 대답들이 영 껄끄러웠지만, 에반은 일단 그 정도로 만족하기로 했다. 입 밖에 낸 이상 그들도 중요성을 인지하고 확실히 힘을 써줄 테니까.

"좋아, 그러면 쉬러 가자."

그런데 에반이 봐두었던 쉼터에서 일행은 다른 탐험가 파티와 조우하게 되었다. 아직 룸을 폐쇄하지도 않고 오픈해둔 것부터가 초짜 티가 나는 일행이었다.

"엇, 셰, 셰어든 후작가의 에반 공자님!"

가장 먼저 그를 알아본 남자가 놀라 외쳤다. 20대 중반의 남성이었는데, 얼굴을 아무리 봐도 모르겠는 것이 엑스트라였다.
일행은 그를 포함해 일곱 명. 하나의 파티로 인정받을 수 있는 한계선—즉 업적을 어느 정도 공유하고, 함께 플로어 마스터 배틀을 치를 수 있는 한계—인 여덟 명에 아슬아슬하게 못 미치는 수치.

비록 개개인이 획득할 수 있는 업적의 한계는 낮아질지 모르지만 인원이 많아지면 보다 다양한 상황에 대응할 수 있고, 많은 몬스터가 나타나도 물러나지 않을 수 있고, 플로어 마스터를 상대로도 수월한 전투를 벌일 수 있다.

그러니 실력에 자신이 없다면 풀파티 여덟 명을 채우는 것이 당연한 선택이라고 할 수 있었다.

'그리고 전원 엑스트라네. 까딱하면 요마대전 시리즈 내내 글줄로 언급 한 번 안 되는 엑스트라 미만일지도 몰라.'

물론 이 던전도시에 넘쳐나는 게 탐험가인 만큼 그런 사람의 비중이 높은 것이 당연하기는 하지만…… 이런 사람들을 볼 때마다 동병상련의 처지를 느끼며 보다 정이 가는 것만은 어쩔 수가 없었다.

그의 표정이 절로 상냥해지는데, 남자가 넙죽 엎드릴 것처럼 몸을 굽히며 그에게 물었다.

"어, 어째서 후작가의 공자님이 이런 곳에 들어오신 겁니까!?"

"바보야, 귀족들은 주기적으로 무조건 던전에 들어와야 하잖아."

"하지만 그건 성인이 된 이후 아니었어?"

이리도 시끄럽게 떠들어대는 것을 보면 아직 에반이 생일 파티에서 했던 천명이 널리 알려지지는 않았거나, 그가 생일 파티에 참석하기 전에 그들이 던전에 들어왔을 가능성이 높았다.

하지만 이 사람들한테서 나는 짙은 체취로 미루어보아 틀림없이 후자겠지, 에반은 그렇게 생각하며 말했다.

"지금부터 쉴 생각이에요? 그러면 저흰 다른 쉼터를 찾아가겠습니다."

"아, 아닙니다. 여태까지 쉬었습니다. 이젠 5층에 도전해야죠!"

남자는 에반이 직접 말을 걸어줬다는 사실에 감격이라도 한 것인지 힘차게 주먹을 쥐어 보였다. 후작가 둘째 공자인 자신을 배려해 그러는 것인가 했는데 다른 이들도 짐을 챙겨 일어나고 있는 것을 보면 정말인 모양이었다.

"부디 몸조심 하십쇼, 공자님."

"항상 응원하고 있습니다."

"저도 형제목욕탕에 반드시 한 번 들어가 보고 싶어 죽어라 노력하고 있습니다. 언젠가 반드시 목욕탕 안에서 뵙고 싶습니다."

"형제약국 덕분에 사제 한 명 없는 저희가 여기까지 왔습니다, 도련님. 정말 감사합니다."

일행은 에반을 스쳐 지나가며 덕담을 한 마디씩 던졌다. 자세한 사정은 캐묻지도 않고! 다들 좋은 사람이잖아!

에반은 그들의 상냥함을 견디다 못해 포켓에서 동그란 폭탄 하나를 꺼내어 건넸다. 파티 리더를 대신해 폭탄을 받아 든 여성 파티원이 고개를 갸웃했다.

"이건……?"

"긴급탈출용 폭탄입니다. 만약 위험해지면 이걸 몬스터들에게 투척하세요. 전부 스턴이 걸려 움직이지 못할 테니 그때 도망치면 됩니다."

"이, 이렇게나 좋은 물건을……."

썩 좋은 물건은 아니다. 재료와 기술의 한계 탓에 20층 이후의 몬스터를 상대로는 통하지도 않는 하급품이니까.

하지만 이런 허름한 장비로 5층에 도전하고자 하는 이들에게는 구명이 되어줄지도 모르는 노릇. 그들은 이 폭탄의 가치를 단박에 파악하고 눈물을 글썽였다. 하지만 거절하지는 않았다. 던전 탐험가로서 훌륭한 태도다.

"고맙습니다, 공자님!"

"귀한 물건일 텐데 저희한테 주시다니…… 반드시 5층을 클리어해 보이겠습니다!"

그들은 에반에게 고개를 꾸벅꾸벅 숙이며 그 자리를 떠났다. 그러나 에반은 어딘가 짠한 표정으로 그들의 뒷모습을 지켜보고 있었다. 샤인이 물었다.

"왜 그런 표정으로 보고 계세요, 도련님?"
"저 사람들 살았으면 좋겠다 싶어서."
"……갑자기 그런 불길한 소리를 하시면 어떡합니까."

자신을 어이없는 표정으로 바라보는 샤인에게 에반은 차마 말할 수 없었다.

요마대전 3를 플레이하는 중 던전 안에서 만나는 다른 파티는, 전투를 하거나 퀘스트를 주거나 하지 않는 한은 나중에 무조건 죽어서 나오는 사망전대 역할이었다는 사실을!

"그치, 그냥 헛소리지? 밥이나 먹고 잠이나 자자."

일행은 물에 적신 수건으로 몸을 대충 닦고, 밥을 먹은 후 잠을 청했다.

덧붙여 그날도 벨루아의 침낭은 에반 쪽으로 데굴데굴 굴러왔다. 중간에 분명 샤인이 있었는데, 정말 신기한 일이었다.

❋❋❋

휴식을 취하고 일어나 자리를 정리한 에반 파티는 5층에 돌입하기 전 쉼터에서 마지막으로 작전회의를 했다. 말이 회의지 에반에 따른 작전 지시 및 숙달이라고 봐야 했다.

“플로어 마스터라는 건 다음 층으로 내려가는 자를 막는 임무를 띠고 있어. 그런데 다들 던전의 아래층으로 내려가는 층계가 여러 군데에 있는 건 알고 있지?”

“그렇죠. 던전이 이렇게나 방대한 데 딱 한 군데에만 층계가 있으면 정말 도련님 같은 사람이 아니고서야 클리어할 수 없겠죠.”

실로 지당한 말이다. 던전 지도를 가지고 있어 미로에서 헤매는 일 한 번 없이 일행을 이끌 수 있는 에반과 같은 존재가 없고서야 난이도가 너무 높아지게 된다.

따라서 층계는 여러 군데 나뉘어 있고, 던전 클리어에 합당한 공헌도를 세웠다면 그 층계 중 하나를 발견했을 때 신의 축복을 받아 레벨이 오르게 된다.

“잠깐, 그러면 도련님. 플로어 마스터라는 놈이 5층에 있는 계단마다 지키고 서 있는 겁니까?”

“그렇지. 던전의 층마다 층계가 대여섯 개 되니까 플로어 마스터도 대여섯 마리 있을 거야.”

“……혹시, 혹시 이런 업적도 있습니까, 도련님?”

거기까지 얌전히 말을 듣고 있던 라이한이 미간을 찌푸리며 입을 열었다. 그는 어째서 에반이 ‘플로어 마스터가 여러 마리’라는 말을 했는가에 주목하고 있었다.

“한 층에 존재하는 모든 플로어 마스터를 해치우는 업적 같은…….”

“역시 머리 좋은 사람들한테는 길게 설명할 필요가 없어서 편하네! 바로 그거예요, 던전 5층에서의 우리 목표는 그거야!”

“…….”

“과연, 대단하십니다.”

샤인은 침묵했고 벨루아는 영혼 없는 것처럼 들리는 칭찬을 했다.

아니, 물론 여태까지 해왔던 일들도 말도 안 되는 일들이었지만 층계를 가로막고 있는 플로어 마스터를 전원 처치하는 업적이라니 이 업적의 존재를 과연 누가 알 수 있단 말인가!

“예언 능력이 확실하다니까.”

“미래시다, 미래시. 예언 능력만으로는 채울 수 없는 구멍이 있어.”

"오히려 미래시로는 안 된다고요, 이런 건. 시각으로 받아들이는 정보에는 한계가 있는 거 몰라요? 제가 천안 익혔잖아요, 그런데 모른다니까."

"자, 그러면 바로 5층 돌입합시다. 아마 다른 업적들은 그리 대단한 것이 없을 테니까, 우리는 최대한 빨리 우리 위치를 파악하고, 플로어 마스터를 차례대로 격파하는 데에만 집중하면 됩니다."

"알겠습니다. ……저 바보들."

예언과 미래시 두 가지 능력을 두고 말다툼을 벌이는 샤인과 라이한을 버려둔 채 에반과 벨루아는 먼저 출발하기로 했다. 두 전위는 후위가 앞장서는 것을 보고 나서야 당황하여 그들을 앞질렀다.

❁❁❁

던전 5층은 유독 크고 함정이 많았으며 특히나 막다른 길이 무척 많았다. 보상이 막대하기 때문에 난이도까지 막대한 것인가, 플레이어들은 쌍욕을 박으며 5층을 도는 것이 관례였다.

제아무리 관대한 플레이어라도 5층 막다른 길에 세 번 이른 끝에 되돌아 나오는 길에만 발동하는 함정을 밟고 죽었을 때에는 쌍욕을 박게 된다. 거의 절대수칙이나 마찬가지였다.

"좋아, 지도 완성."

다행히도 에반 일행은 쌍욕을 내뱉기 전에 지도를 완성하는 데 성공했다. 사실 게임과는 달리 시야가 넓게 확보되며 에반의 연금술 능력에 기반하는 감지능력이 보조된 덕에 막다른 길에 들어서기 전에 그 루트를 피하는 것이 가능했던 것이다!

"게임보다 현실이 더 클리어가 쉽다니 무슨 이런 아이러니가 다 있지. 일단 플로어 마스터 잡으러 갑시다. 마침 가까운데 한 곳 있네요."

"엇, 아직 5층에 내려온 지 두 시간밖에 되지 않았는데요. 제아무리 플로어 마스터를 처치하는 것이 중요하다지만, 그래서야 던전 클리어로 인정이 되지 않는 것 아닙니까?"

라이한의 지당한 지적에 에반은 고개를 끄덕였다.

"당연히 인정되지 않죠. 하지만 형, 우리가 이거 한 놈만 잡고 내려갈 것 아니잖아요."

"아…… 그러고 보니 그렇군요."

라이한도 고개를 끄덕이고 말았다. 지금 단계에서 던전을 클리어할 필요가 없다는 사실을 그도 뒤늦게 깨달은 것이다.

"자, 그러면……."

에반은 우선 지금 있는 위치에서부터 최대한 빠르게 플로어 마스터를 사냥하며 던전의 업적들을 캘 수 있는 루트를 작성했다.

그 결과 마지막에 도달하는 곳은…… 좋아. 던전의 마지막 지점에 동그라미를 그린 에반의 입가에 절로 미소가 걸렸다.

'플로어 마스터를 전부 처치하는 업적. 당연히 던전에 처음 도전하는 초짜 플레이어는 달성할 수 없는 업적이고, 고수들이라고 해도 한정된 시간 안에 모인 자원만 가지고 클리어하는 건 힘들지.'

주인공 뽑기에도 엄청 공들여야 하고, 초반부 유입 동료에도 엄청 신경 써야 하고, 스킬 획득과 초기 수련도 철저하게 주의해야 하고, 가능한 한 포션을 긁어모아야 한다.

그러고서도 1층부터 4층까지 클리어하며 좋은 스킬을 얻지 못했다면 그냥 깔끔하게 포기하고 6층으로 내려가버리는 편이 나은, 고인물 중에서도 고일 대로 고여 썩은물이라고 불리는 자들만이 간신히 달성할 수 있는 업적.

'그렇지만 그렇게 해야 하는 개고생에 비해 그 업적으로 인한 보상 차이가 그렇게까지 크지 않고, 보너스 상품이라는 것

도 어이가 없어서…… 어디까지나 썩은물 이벤트라고 불리는 그 업적.'

물론 썩을 대로 썩어 거의 극독물 수준이었던 전생의 여반민은 거의 항상 여유롭게 그 업적을 달성하곤 했었지만, 그 업적에 따른 보너스 상품만은 항상 외면했었다. ……하지만.

"이번엔 그게 필요해. 지금 나한텐 그게 너무나도 필요해……!"

"……이 업적을 달성해야만 얻을 수 있는 무언가가 있군요. 그리고 공자님께선 그것을 필요로 하고 계시고."

"후, 확실히 알아들었습니다."

"반드시 완수하겠습니다."

에반의 생각이 말로 새어나간 것일까? 갑자기 일행의 태도가 달라졌다. 여태까지는 해야 하니 한다는 느낌이었다면, 갑자기 그들이 사명감을 불태우기 시작한 것이다. 정말 든든하지 않을 수 없었다.

"어, 이게."

"룸이네요?"

"맞아."

그로부터 3분 후, 정말 빠르게 일행은 목적지에 도착했다. 복도 끝에 문이 있고, 중앙에는 구멍이 나 있으며 그것을 중심으로 복잡한 상형문자들이 그려져 있다. 문의 형태가 조금 특이하긴 했지만 분명 이것은 '룸'이었다.

"플로어 마스터와의 배틀은 한정된 파티원들만이 함께 치를 수 있어. 그렇기 때문에 장소가 제한되어야만 하지. 그래서 이런 식으로 룸이 마련되어 있는 거야. 이 '플로어 마스터 배틀 룸'에 들어가 플로어 마스터를 격파하면, 그제야 그 너머에 있는 층계로 향할 수 있지."

"과연 에반 도련님이십니다."

그때, 근처의 어두운 복도로부터 모습을 드러내는 이가 있었다. 아이언월 나이츠의 평단원…… 그래, 이름이 분명 '로반'이었다.

"설마 만으로 이틀도 안 되어서 정말로 여기까지 내려오실 줄은 몰랐습니다. 그것도 그렇게 멀쩡한 모습으로……. 아무리 도련님의 능력이 출중하시다는 걸 알지만 던전은 또 다른 얘기라고 생각했습니다."

"그런가요, 사실 좀 헤매기도 했어요."

"하하."

던전을 좀 헤맸는데 벌써 5층이라니, 헤매지 않았으면 기사들이 배치되기도 전에 플로어 마스터가 격파되었으리라. 로반은 고개를 절레절레 저으며 말을 이었다.

“기사단장님께서 혹시 모르니 오늘부터 대기하고 있으라 명령하셨으니 망정이지, 도련님이 플로어 마스터에 도전하시는 것도 모르고 있을 뻔했습니다.”

“아, 역시 지키고 있으라는 명을 받았나 보네요?”

“그야 물론이죠. 도련님이 제아무리 능력이 뛰어나시지만, 후작 각하께서 보시기엔 아직 귀엽고 어리기만 한 열두 살 아이이니까요.”

그는 그렇게 말하며 재차 하하 웃었다. 그러나 이내 진지하게 표정을 굳히며 말했다.

“어차피 저 안에 있는 것들이 도련님한테는 손끝 하나 못 댄다는 거 잘 알고 있습니다. 그래도 6층으로 내려가시면 안 됩니다. 저는 그것을 막기 위해 여기에 있는 겁니다.”

“아버님의 명령이잖아요. 저도 그건 지켜요.”

“답답하게 느끼신다는 건 잘 알고 있습니다. 제한을 빠르게 풀고 마음대로 활보하실 날이 오도록 저희 아이언월 나이츠도 도련님께 힘을 실어드리겠습니다. 그러니 이번만은 참아 주셨으면 합니다.”

"응, 꼭 부탁해요."
"배틀 룸 입장 방법은…… 물론 알고 계시겠죠."
"네. 여긴 5층이니까 아직 마석이 필요 없죠?"

플로어 마스터 배틀 룸에 언제나 들어갈 수 있게 되면 그건 제법 큰 일이 된다. 기본적으로 플로어 마스터는 '보스'급이라 정의되는 몬스터고, 그런 만큼 여타 몬스터에 비해 기본능력은 물론이고 걸친 무구들도 특별한 경우가 많은 것이다.

그런 특별한 몬스터를 던전이 아무 때나 자유자재로 뽑아내기는 힘들었고, 따라서 던전은 그런 플로어 마스터를 소환하기 위해 도전자들에게 '제물'을 요구했다. 5층은 금화, 10층부터는 금화와 마석을 함께 요구한다.

"좋아, 그러면 다들 준비됐지?"
"물론입니다."
"로반, 지금부터 도전할 생각이니까 물러나줘요."
"알겠습니다. 잠시 후에 뵙죠."

에반은 금화를 한 개 꺼내 문 중앙의 구멍에 던져 넣었다. 그러자 문 전체가 화려한 금빛으로 빛나더니 동시에 안에서 소리가 나기 시작했다. 플로어 마스터가 소환된 것이다.

"라이한 형, 앞으로 나서면서 방패를 들어 올려요. 루아, 너는 나와 함께 선제공격. 플로어 마스터를 보호하고 있는 부하들을 먼저 죽일 거야."

"알겠습니다."

에반은 배틀비드를 두 개 집어 각 손에 하나씩 쥐고, 벨루아는 여우불을 제외하고도 삽시간에 일곱 개의 불꽃 화살을 만들어냈다. 뒤로 물러나 대기하던 로반은 그것을 보며 비명을 지르고 싶은 심정이었다.

'저 나이에 동시에 불꽃 화살 일곱 개? 게다가 하나하나에서 느껴지는 마력이 만만치 않은데, 대체 고작 이틀간 던전에서 뭘 얼마나 성장한 거야.'

모두가 준비된 것을 확인하자, 에반은 라이한에게 앞으로 나아갈 것을 명했다. 라이한은 눈앞에 돌문이 있음에도 개의치 않고 성큼성큼 걸어 나갔다.

일행 모두 망설임 없이 그 뒤를 따랐다. 돌문은 신기루처럼 녹아 사라지고, 그들은 방 안으로 입장할 수 있었다.

[크워어어어어어어어!]

파티가 룸 안에 온전히 입장한 바로 그 순간, 방 전체에 쩌렁쩌렁하게 울려 퍼지는 괴성. 그들도 확인할 수 있었다. 넓

디넓은 방 중앙에 위풍당당하게 서 있는 덩치 큰 고블린, 갑주를 착용한 고블린 워리어의 존재를!

"화살 일제사격 옵니다."
"합!"

라이한이 짧은 기합으로 신성한 외침을 발동했다.
그것만으로도 충분했다. 고블린 워리어를 중심으로 하여 양옆으로 나란히 서 있던 고블린 아처들의 일제사격이 빨려 들 듯이 그에게로 휘어, 그가 현란하게 움직이는 방패에 얻어맞고 모두 무기력하게 떨어졌다.

"이제 우리 차례다!"
"……!"

이어서 에반과 벨루아의 턴! 에반은 고블린 워리어를 기준으로 왼쪽의 고블린 아처들을 노리고 배틀비드를 던졌고, 벨루아는 오른쪽의 고블린 아처들을 노리고 마법을 발사했다.

[꾸, 꾸어어어……!]

그리고 중앙에서 유탄에 사정없이 얻어맞은 고블린 워리어가 충격파와 불꽃에 괴로워하다 쓰러져 죽었다.

"자, 그러면 시미터로 한 번만 찍고 다음 배틀 룸으로 가죠."

"어라, 잠깐만."

"흠, 역시 고블린 워리어라 그런지 무구들도 다 잡철뿐이군요. 배틀비드가 낳은 충격파의 여파만으로 다 부서지다니, 건질 것도 없겠습니다."

"아니, 잠깐만. 이게……."

"도련님, 가시죠."

"왜 다들 당연하다는 듯이 받아들이는데! 야! 기다려보라고, 얘 왜 죽었는데! 직접 공격도 안 했는데!"

배틀 룸에 들어갔다 나온 지 10초도 안 되어 돌아 나오는 일행의 모습을 보며 로반은 고개를 갸웃했지만, 상대가 에반이었기에 곧 납득했다.

"다들 기다려보라니까! 얘 진짜 죽은 거야!? 왜 이렇게 약한 거야, 얘 플로어 마스턴데!?"

납득하지 못한 것은 오직 에반뿐이었다.

[크워어어어어어어!]

던전 5층에서 처음 나타나는 플로어 마스터 고블린 워리어, 놈은 일반적인 고블린과는 비교도 할 수 없는 수준의 공격력과 체력을 지니며, 고블린을 상대하는 것에 스스로 적응이 되었다 여긴 탐험가들에게 절망을 안겨주는 존재다.

놈은 부하 전원의 공격력을 높여주는 배틀 크라이를 지니고 있으며, 제대로 된 무기술이 없는 기존의 고블린들과는 달리 무려 대검술을 지니고 있는 존재다.

"흡!"

[크오오오오오오……!]

대검술, 그것은 일반적인 검술보다 한 단계 이상 높은 적성이었다.

힘이 제대로 갖춰진 이들이 대검술을 익혔을 때 나오는 퍼포먼스는 실로 강력하여 능히 홀로 부대를 감당할 수 있다고 불리는 무기술이었으며, 인간보다 큰 덩치에서 나오는 대검술의 압도적인 위용 앞에 무릎을 꿇는 초보 탐험가들이 부지기수였다.

"그런데 얘가 대검 한 번 못 휘둘러보고 죽네."

에반은 샤인과 정면에서 붙었다가 무기를 제대로 휘두르기도 전에 목에 단검 두 방 얻어맞고 바로 바닥에 누워버린 고블린 워리어의 시체를 내려다보며 아련한 목소리로 중얼거렸다.

고블린 워리어의 파워를 동경하여 대검술 적성을 얻을 때까지 주인공 뽑기를 하는 플레이어도 제법 있을 정도인데 그 고블린 워리어가 이런 비참한 신세라니!

"도련님도 그 말씀 하시면서 새삼스럽지 않으십니까? 아니, 1층에서 나왔던 그 무시무시한 고블린 파이터도 한 방에 보내신 분이 이제 와서 무슨 말씀입니까."

"걔는 다른 고블린들 처리하느라 약해졌던 고블린 파이터잖아. ……아니, 솔직히 5레벨이 되면서 엄청나게 강해진 샤인이 걜 쉽게 잡는 건 그래, 네가 사일런트 나이트니까 이해할 수 있어."

"글쎄 그 사일런트 나이트가 뭐냐니까요."

"그런데 명색이 플로어 마스터라는 놈이 유탄에 얻어맞은 정도로 죽는 건 좀 아니지 않냐!? 이건 분명히 지금 던전이 이상해진 거라니까. 무슨 일인가가 던전에 일어나고 있어…… 뭔가…… 뭔가가……!"

아마 이 던전을 지켜보고 있는 신들도 그렇게 생각하고 있으리라, 샤인은 생각했다. 다만 뭔가 일어나고 있는 쪽은 던전이 아니라 에반이겠지만!

에반은 던전을 내려오며 샤인과 벨루아만 마냥 강해졌다고 생각하고 있나 본데 말도 안 되는 소리. 던전레벨 5가 된 에반이 던지는 배틀비드도 처음에 비해 터무니없이 강화되어, 이젠 무슨 메테오처럼 느껴지고 있었다!

"알겠습니다, 그러면 던전이 이상해졌다 치고 빨리 다음 해야 할 일이나 하죠."

"……씁, 기다려. 얘 마석만 캐고."

마석, 그것은 던전에 나타나는 몬스터의 사체에서, 혹은 던전 내부 특수한 환경에서 드물게 채취할 수 있는 마력을 품은 돌을 총칭하는 단어다.

마력을 품고 있어 마도구를 작동시키는 데 쓰이는 물품으로, 던전에 들어가는 탐험가들의 주 수입원이기도 했다.

다만 원래 5층까지 등장하는 고블린들은 체내에 마석을 품지 못할 만큼 약하다.

따라서 던전 초입에서 마석을 얻는 방법은 전부 던전 벽이나 바닥을 캐내어 얻는 것뿐인데, 그렇기 때문에 탐험가들은 던전 초입에만 들락날락거리며 생활비를 버는 이들을 채집꾼, 혹은 광부라고 부르며 비웃곤 했다.

"그런데 이것들은 무조건 마석이 있네요."

"플로어 마스터는 원래 무조건 마석을 품고 있어. 그리고 봐, 색도 특이하지? 제물을 바쳐 소환되는 플로어 마스터의 마석은 전부 이렇게 되어 있어. 다른 마석에 비하면 조금이지만 효율도 높고. 그래서 플로어 마스터만 전문으로 사냥해 돈을 버는 이들도 있지."

에반은 고블린 워리어의 사체가 던전에 흡수되는 것을 기다리지 않고 놈의 몸을 탐색해 오색으로 빛나는 마석을 캐냈다. 그러자 놈의 남은 사체가 흐물거리며 던전 바닥에 녹아 흡수되기 시작했다.

"이놈까지 하면 상당히 잡은 것 같은데……. 벨루아, 우리 몇 마리 잡았냐?"
"방금 것까지 여섯 마리."
"아, 지금은 던전 클리어하기에 충분한 업적을 쌓고도 남았으니까 절대 계단 쪽으로 다가가면 안 돼."
"그 얘기 아까도 들었습니다. ……어라, 그런데 여섯 마리?"

문득 샤인이 고개를 갸웃하며 물었다.

"아직 해야 할 일이 더 남았습니까? 이미 이 층에 존재하는 플로어 마스터는 다 찾아서 잡은 것 같은데."
"업적도 어지간한 건 다 달성한 것 같습니다만."
"……."

라이한 역시 의아해했다. 반면 벨루아는 조용히 에반의 얼굴을 바라보고 있을 뿐이었다. 에반은 지도를 펼쳐 그들에게 보여주며 설명했다.

“우리는 맨 처음 여기쯤에 떨어져서, 시계 반대 방향으로 이렇게 쭉 한 바퀴를 돌았어. 그러면 자, 빈 공간이 있지?”

“신기하게도 정중앙에는 가질 않았네요. 여기에도 플로어 마스터가 있는 겁니까?”

“음, 정확히는 숨겨진 업적이라고 해야겠지. 누구 짓인지는 모르겠지만 플로어 마스터를 전부 처치했을 때에만 사냥할 수 있는 몬스터…… 히든 보스를 설정해놨거든.”

그리고 당연하게도 이 히든 보스는 고블린 워리어보다 두 배는 강력하다. 오직 요마대전 시리즈의 썩은물들만이 업적을 클리어할 수 있다고 하는 것이 괜한 이유에서가 아닌 것이다!

“하지만 이놈보다 두 배 강력한 정도라면…… 얼마든지 할 수 있습니다.”

“최선을 다하겠습니다.”

“그 정도로는 제 방패가 깨지지 않을 겁니다, 공자님.”

방심은 하지 않지만 자신의 능력을 과소평가하지도 않는

다. 그리고 라이한은 슬슬 자신이 들고 있는 방패가 데미지를 두 번 받게 되는 방패라는 사실을 잊어먹고 있는 게 아닐까 싶은데.

어쨌든 파티원들의 늠름한 모습에 에반은 만족하여, 선언했다.

"그러면 진 보스 잡으러 갑시다."

[캬아아악!]

"하."

[키헥!]

던전 중앙으로 가면 갈수록 함정의 숫자도 많아지고, 몬스터가 등장하는 빈도도 높아졌다. 마치 그들이 중앙으로 다가오는 것을 막으려는 것처럼도 느껴졌다. 샤인은 그제야 비로소 던전을 탐험하는 기분이 났다.

[크이이…… 케겍!]

"후, 끝. 진짜 질리게도 나오네. 이렇게 저희 체력을 떨구려는 거겠죠."

"치유마법 필요해, 샤인?"

"아니, 필요 없어요. 오히려 점점 기운이 솟아요."

샤인의 말은 결코 거짓이 아니었다. 옥염구를 통해 그가 익힌 스킬 블러디 섀도, 그것이 끝없이 이어지는 몬스터들과의 연전을 통해 자연적으로 발동되면서 그의 스태미나를 채워주고, 전투능력을 향상시켜주고 있었던 것이다.

"오히려 저를 위해 준비된 게 아닐까 싶을 정도예요."
"중간에 피 부족하면 말해, 많이 있어."
"아니 그건 됐거든요."

일행은 파죽지세로 던전을 내달렸다. 고블린 아처의 저격도, 고블린 파이터의 돌격도 전부 라이한의 방패에 허무하게 튕겨나갔다. 샤인과 벨루아, 에반은 철저하게 순번을 정해 놈들을 처리하며 스태미나와 마력을 아꼈다.

"어, 그런데 어째 점점……."
"이제 눈치챘구나. 이건 우리가 히든 보스와 가까워지고 있다는 증거야."

본래 던전 1층부터 5층까지는 평범한 돌벽과 돌바닥이 이어지게 마련인데, 기이하게도 중앙으로 향할수록 벽돌 틈을 비집고 풀이 자라나 있는 것이 보였다.

에반이 전부 독초라고 경고해주어 다가가지는 않았지만.

"던전이 지닌 환경변화의 힘은 알고 있지? 그런데 이 환경변화의 힘을 몬스터가 타고나는 경우도 있어. 대체로 강력하지. 던전을 깊숙이 내려가다 보면 플로어 마스터 배틀 룸 주위도 이렇게 다른 환경으로 변이해있는 걸 볼 수 있게 될 거야."
"던전은……."

벨루아가 문득 입을 열었다.

"대체 뭘까요."
"내가 말해줄 수는 있지만, 당장은 납득하지 못할 거야."

에반은 피식 웃으며 대꾸했다.

"그러니 나중에 네가 정의하도록 해. 그게 정답이니까."
"……그렇군요. 알겠습니다."

벨루아는 묵묵히 고개를 끄덕이며 내달렸다.
그들은 곧 히든 보스가 기다리는 배틀 룸 앞에 도착할 수 있었다.
그런데 그 앞에 도달한 순간 에반은 허를 찔리는 듯한 감각을 맛보았다.

"기사단장."
"도련님이라면 혹시나, 하고 생각했습니다."

배틀 룸 앞에 인왕처럼 서 있는 기사단장 미하일 디 에어로크를 보며 에반은 어이가 없었다.
아니, 미리 조사한 바에 따르면 여태까지 이 히든 보스 배틀 룸에 입장 성공했다는 사람이 하나도 없는 걸로 아는데 이 사람은 대체 어떻게 그걸 예측하고 움직였단 말인가!

"그야 도련님은 언제나 누구도 하지 못하는 일을 당연히 해내시는 분이니까요. 그러니 이곳의 비밀도 풀릴지 모른다, 그렇게 생각하는 것이 당연하지 않습니까."
"전혀 당연하지 않은 것 같은데…… 혹시 절 막을 거예요?"
"그럴 리가 있습니까. 제 임무는 먼저 파견했던 다른 기사들과 같습니다. 도련님이 플로어 마스터를 격파하고 6층에 내려가시지 못하도록 막는 것. 그것만 지켜주신다면 제가 도련님을 막을 필요는 없습니다. 설령 이 안에 무엇이 있든, 도련님께선 그것을 넘어서실 수 있다고 확신하니까."

기사단장은 실로 믿음직스럽게도 그렇게 단언하며 옆으로 조금 물러섰다. 그러자 배틀 룸을 막고 있는 문 중앙의 어두운 구멍이 모습을 드러냈다.

"혹시 확신이 없으시다면 아무것이나 넣어서는 안 됩니다, 도련님. 원하지 않는 물건을 넣었을 경우 치명적인 함정이 발동한다고 들었습니다."

"물론 그것도 조사가 끝났어요."

에반은 가볍게 대꾸하며 인벤토리 포켓에서 여섯 개의 빛나는 마석을 꺼냈다. 샤인이 '어?' 소리를 냈다.

"설마 필요한 제물이라는 게……."

"플로어 마스터 여섯 마리에게서 공통으로 얻어낸 게 이것뿐이잖아. 그러면 당연히 이것밖에 없지."

"바보 샤인."

"넌 머리는 좋은데 굴리지를 않는구나."

"……."

샤인은 괜히 말을 더 해서 욕을 더 먹느니 그냥 가만히 있기로 했다. 옆에서 얘기만 듣고도 '설마 플로어 마스터 여섯 마리를 다 사냥해야 한다니!' 하고 깊은 깨달음을 얻고 있는 기사단장과 자신이 대조되어 살짝 서글펐다.

"도련님, 이것은 혹시……."

"네. 최초가 중요한 업적이라서요. 기사단장과 다른 이들에게는 미안하지만 말을 하지 않고 있었어요. 제게 필요해요."

"도련님의 지식으로 도련님이 원하는 일을 하시는데 누가 감히 뭐라 하겠습니까."

에반은 차례대로 여섯 개의 마석을 전부 구멍에 밀어 넣었다. 그다음 순간 일어난 변화는 앞서 여섯 개의 플로어 마스터 배틀 룸에서 일어났던 변화와 비슷했다.

문이 오색으로 찬란하게 번쩍이더니 이내 그 안에서 심상치 않은 기색이 느껴지기 시작했다.

"하나……."

"맞아. 히든 보스는 언제나 한 마리야. 안에 있는 건……."

에반이 침을 꿀꺽 삼키며 말했다.

"놀랍게도 고블린의 상위종인 블러드 고블린, 그중에서도 파이터! 일반적인 고블린 파이터와는 비교도 안 되는 덩치에, 놀랍게 빠른 검술을 자랑하는 놈이야. 전신이 시뻘건 털에 뒤덮여 있고, 커다란 시미터를 휘둘러대는 놈이지."

"시뻘건 털……."

"커다란 시미터……."

에반은 일행의 분위기가 미묘해진 것도 눈치채지 못하고 말을 이었다.

“원래 던전의 20층 너머에서나 등장하는 괴물인데 그런 놈과 싸워야 하는 거지. 체력과 스태미나는 어느 정도 디버프를 먹은 상태지만 공격력은 별로 디버프를 안 먹어서…… 야, 뭐야. 너희 왜 그래. 왜 갑자기 축 처져. 뭔데.”

“이제 들어가죠, 그럼.”

“아니 기다려봐, 더 들어봐! 물론 너희 힘이면 쉽게 잡는 건 아는데 그래도 만약이라는 게 있잖아!”

“아뇨, 도련님.”

벨루아가 단호하게 말했다.

“만약이라는 건 없습니다.”

“루아 너마저!?”

에반은 말 잘 듣던 애들이 갑자기 왜 이러나, 반쯤 공황상태에서 히든 보스 배틀 룸에 입장했다.

그런데 만약이 정말로 없었다.

“아니, 이게…….”

에반은 자신의 투척 한 방에 바닥에 죽어 누운 블러드 고블린 파이터의 시체를 건드려보며 맥없이 중얼거렸다.

"이게 이렇게 간단히 죽을 리가 없는데……."
"그러면 찍겠습니다."

멍하니 바보 같은 소리를 지껄이고 있는 에반 옆으로 다가온 샤인이 실로 냉정하고 과감하게 놈의 목에 시미터를 쿡 찔렀다.
놈의 사체에 남아있던 피가 모조리 깔끔하게 시미터 안으로 흡수되며, 놈의 사체가 사라지고 바닥에는 오색의 마석만이 덩그러니 남았다. 히든 보스의 피를 빨아먹은 시미터는 기분 탓인지 보다 요요히 빛을 발하는 것만 같았다.

"아니, 얘가 왜 배틀비드 투척 한 방에 죽지?"
"1층에서도 그랬지 않습니까. 심지어 그놈보다 약한 놈이라면서요."
"그놈은 그냥 고블린 파이터였을 텐데. 아니…… 정말로 많이 약화된 블러드 고블린 파이터였나?"
"그냥 도련님이 강한 거라고요."
"씁, 그럼 내가 정말로 조금 강해지긴 했나 보다. ……하긴 던전레벨도 올랐으니까. 여태까지 한 체력단련도 제법 효과가 있었나?"

드디어 에반이 또 한 차례 자신의 성장을 받아들였다! 샤인은 에반이 스스로의 힘을 온전히 받아들이기까지 앞으로 몇 번이나 더 이 문답을 반복해야 하는 것일까, 멍하니 생각하며 마석을 주워 그에게 건넸다.

"도련님, 이것도 어디 제물로 써야 하고 그런 건 아니죠?"

"예리하구나, 샤인. 하지만 지금 당장 제물로 바쳐야 하는 건 아니니까 괜찮아. 이걸로 우리가 던전 5층을 공략했다는 걸 증명할 거야. ……이게 고블린 워리어의 것보다 좀 크고 빛이 뚜렷하긴 하지만."

물론 의심하는 사람이 있을지도 모르지만 막말로 의심하려면 무슨 이유를 붙여서든 의심할 수 있다.

그러나 에반 파티가 이로써 던전 5층을 완벽히 공략했다는 것은 의심의 여지가 없는 사실이었으니, 굳이 그것을 증명하려 애쓸 필요는 없었다. 어차피 던전 입장용 마법진에 서면 극명히 드러날 일이다.

"그러면 이제……."

"정말로 끝났군요."

"후, 다들 고생 많았어요. 그러면 이제 층계참으로 가죠."

히든 보스 배틀 룸은 일반적인 플로어 마스터 배틀 룸과 그

구조가 똑같았는데, 우선 전투를 위한 넓은 룸이 있고 보스를 쓰러트리고 나면 그 너머 닫혀있던 문이 열리며 다음 층계로 향할 수 있는 구조였다.

"오, 신상이네요."

배틀 룸을 넘어 6층으로 넘어가는 계단이 있는 좁은 방, 플레이어들이 부르길 보상방에 도착한 일행은 층계 바로 앞에 설치된 아담하고 검은 석상을 발견할 수 있었다. 이건 원래 쉬이 볼 수 있는 물건이 아니다. 히든 보스를 클리어해야만 볼 수 있는 상이다.

투박한 돌로 조각된 신상이었으나 일행은 그 안에 감도는 기이하고도 매혹적인 기운을 감지할 수 있었다. 뭣보다도 조각에 불과한 상의 미모가 너무나 아름다웠다. 마치 빨려들 것만 같았다.

"초상화로도 한 번도 본 적 없는 신이군요. 대체 어떤 신인지 공자님께서는 알고 계십니까?"

"마신."

"컥."

에반의 단호한 대답에 라이한의 숨이 턱 막혔다. 마신이라니, 몬스터와 마족을 창조했다고 여겨지는, 전 인류의 적이라고 할 수 있는 신이 아닌가!

"그런 게 여기 왜 있습니까!"

"아까 루아한테 말하는 거 들었죠? 던전에 대해 설명하려면 할 수 있다고. 하지만 단순하게 정의 내리기엔 너무 복잡하고…… 결국 스스로 판단하는 게 제일이라고. 물론 형의 판단에 필요한 것들은 제가 최대한 보여드릴게요."

"……알겠습니다. 믿겠습니다, 공자님."

"형, 신앙 박탈당하지 않게 조심해요."

"한 번에 여러 신을 믿는 것은 죄가 아니다."

"저 신 아니거든요!?"

벨루아를 포함한 일행이 전부 보상방 안에 들어와 층계의 존재를 확인하자, 그들에게로 동시에 신의 메시지가 들려왔다.

[너의 레벨이 6으로 성장했다.]

그리고 다음 순간, 에반은 자신이 1층을 클리어했을 때 불려왔던 그 빛의 공간에 재차 불려왔다는 것을 깨달았다. 그의 눈앞에 유독 화려한 빛을 뿜어내는 빛 덩어리가 다가와 있었다.

[여섯 마리의 수문장을 물리치고 봉인되었던 죄수까지 최

초로 물리치는 공을 세웠으니 그 업적이 실로 대단하나……
여기까지 너를 보아오며, 사실 우리는 네가 그 정돈 능히 해낼 것이라고 예상하고 있었다.]

어라, 그런데 인트로가 사뭇 달랐다. 에반은 6레벨이 되어 성장하는 육신을 느끼면서도 다소 당황스러운 표정을 지어 보였다.

[우린 너를 어떻게 대해야 할지 많은 고민을 했다. 하지만 이것 한 가지만은 분명하구나. 너는 우리의 적이 아니다.]
"당연하죠. 당신들이 저를 죽이려 들지 않는 한은."
[그렇기에 우리는 너를 기꺼이 받아들이기로 했다. 인간아, 사랑하는 우리의 아들아. 우리가 볼 수 있는 미래에는 존재하지 않았던 기적의 파편아. 우리는 당연히 네가 살아가기를 원한다. 따라서 우리는 네게 이 직업을 내리고자 한다. 바로 '외도外道'다.]
"야!"

신에게 반말로 고함을 치고 말았다! 그러나 신은 그럴 줄 알았다는 듯이 그의 불경을 탓하지도 않고 말을 이었다!

[우리가 설계하고 예정해둔 길이 아닌 벗어난 길만 골라 걷고 있으니, 네게 이것 이외의 직업이 어울릴까. 아니, 그렇지

않다.]

"그런데 이건 직업조차 아니잖아!"

[너에게는 한계가 없다. 너는 바르지 않은 길을 걸을 수 있다. 운명에서 한참을 벗어나 떠돌고 있으니 반역이라고도 부를 수 있으리라. 그럼에도 불구하고 너에게 이 길을 허락하는 이유는 첫째로 우리가 너를 막을 수 없으며 둘째로 우리가 너를 막을 필요를 느끼지 못함이니, 차라리 그 길에 우리가 함께하고자 함이라.]

굉장히 그럴듯하게 말하고는 있었지만 결국 이게 외도에 대한 설명이었다! 신들하고 같이 외도를 걷다니 그것참 즐겁겠군요! 가다 지치면 먹게 도시락이라도 준비할까, 그냥…… 확!

[외도는 네게 예정되어있던 운명—직업—과 관련되지 않은 행위를 할 때 너에게 긍정적인 효과를 줄 것이다.]

에반이 치밀어 오르는 분노로 말을 잇지 못하는데 재차 신의 말이 이어졌다. 여태까지는 그 직업이 가지는 상징성에 관한 얘기였다면, 지금부터는 직업이 갖는 실효에 대한 이야기였다.

"긍정적인 효과라니 그게 무슨 아리까리한……."

[네게는 직접적으로 얘기해주는 것이 좋겠구나. 너의 운명에 어긋나는 모든 행위, 모든 능력의 발현에 있어서 그 효과가 약 2할 증가하게 될 것이다. 알아들었느냐?]

"20%!?"

[제대로 알아들었구나.]

에반은 반사적으로 경악해 소리쳤다. 20%라니! 초기직업 중에서도 가장 좋다는 평을 받는 '희미한 빛의 검사'가 딱 검술 한 가지에 한해 능력이 30% 증가되는 직업인데…… 모든 능력의 효과가 20% 증가한다니, 범용성으로 따졌을 땐 압도적으로 좋지 않은가?

'아니, 이거 그냥 당첨이잖아!? 로또 1등, 아니…… 그 수준이 아니라 파워볼 1등! 메가밀리언 1등!'

외도라는 말에 신경이 곤두서있던 에반은 직업의 자세한 능력을 따져보며 입을 헤 벌리고 감탄했다. 그러나 곧 신경 쓰이는 부분이 생겼다. 그는 살짝 기대를 품고 물어보았다.

"그럼 원래 저한테 예정되었던 운명이 뭔데요? 죽음?"

[하하, 그건 모든 인간에게 주어진 운명이 아니더냐. 아무리 네가 외도라 해도 그것을 피해간다면 이미 인간이라 부를 수는 없음이니. ……인간 맞지?]

"그걸 저한테 물어보시면 어떻게 해요."

어이가 없어 대꾸하는 에반의 눈앞에서 빛 덩어리가 큼큼, 헛기침 소리를 냈다. 어째 조금 인간적으로 느껴졌다.

[운명이란 본디 예정되었던 직업을 말하는 것이다. 너라면 이미 알고 있겠지만 사람에게는 타고난 적성이 있고, 제아무리 그 길을 외면하더라도 결국은 그 길에 접어들게 된다. 예를 들자면 라이한이라는 아이는 기사가 되기 위해 태어난 아이지.]

"그야 그렇죠. 그럼 저는……?"

[마법사다.]

"마도 적성이 바닥인데 무슨 마법사야! 마법사는 무슨 얼어 죽을!"

또 반말로 소리를 지르고 말았다! 얘네 혹시 제작진 아니야? 본편의 에반을 빌어먹을 마법사로 만들어놓은 제작진!

[그럴 리가. 너는 본디 마법사가 될 운명이었다. 그것도 아주 확고하게. 그 이외의 미래는 단언컨대 없었다. 그럼에도 불구하고 그 운명을 거스르니 기이한 것이다. 대마법사가 될 운명이었는데…….]

"아, 네. 그러세요……."

대마법사(물리)도 아니고, 에반은 신의 말을 들으면서 기가 찼다. 역시 이 녀석들은 상태 불량이었다. 어쩐지 1층에서부터 데려와서 이상한 소리를 늘어놓을 때부터 알아봤어야 했는데!

"어쨌든 그럼 전 마법 외의 다른 모든 스킬의 효과가 20% 증가하게 된다, 이렇게 알아들으면 되는 거죠?"

[정확하다. 아티팩트와 마도구의 효과는 증가하지 않으니 유념하거라.]

"그것까지 증가하면 그냥 개사기죠."

아니, 사실 이미 개사기였지만! 적성도 없는 마법의 효과가 증가해봤자 기쁘지도 않고, 연금술과 격투술, 투척까지 활용하는 에반에게 있어서 이 직업은 감히 단언컨대 최고였다. 직업명만 빼놓고 최고였다!

"다 좋은데 직업 이름만 좀 바꿔주면 안 되나요……?"

[안 된다. 너는 외도다.]

"알았어, 알았으니까 그렇게 부르지 마!"

퇴마 주문에 당한 악령처럼 몸을 비틀며 에반이 소리쳤다. 그의 기분 탓일까, 빛 덩어리가 조금 흡족하게 그것을 바라보고 있는 것 같았다.

[이것으로 끝이 아니다. 네 스킬 중에 성장 가능한 스킬이 무척 많아 하나를 고르기가 힘들었으나…….]

"제발 헤븐 프레스만은 더 강화시키지 말고 그냥 놔둬주세요, 부탁합니다."

[천중이라는 능력은 미완성이라는 사실을 알고 있느냐?]

다행히도 헤븐 프레스가 아니었다. 비록 이 던전에서는 천중을 한 번도 구사하지 않았지만 그럼에도 제법 강력한 스킬이라는 것만은 확실하다. 에반의 얼굴에 화색이 돌았다.

[이 천중을 강화해주겠다. 물론 이번과 같은 대업적을 몇 번이고 세워야만 이 기술을 완성시킬 수 있을 터이나, 아마 너라면 능히 해낼 수 있을 것 같구나.]

"오, 오오오……!"

[힘을 받아라. 이로써 너의 천중은 '천중 2'가 되었다.]

"……."

에반은 자신의 체내로 흘러들어오는 지식과 강렬한 힘을 감지했다. 본디 천중이 격투술의 상위 단계 스킬이고, 스킬을 익히는 것만으로 몸이 강해지는 스킬이기 때문에 스킬이 강화되면서 에반의 육신이 크게 강화되고 있었던 것이다.

그와 함께 스킬이 어떻게 성장했는지도 뚜렷이 느껴졌다. 격투술에 담아내는 하늘의 무거움, 그 무게가 크게 증가했다.

혹은 그것을 포기하고 천중의 힘을 대략 50센티미터 거리에까지 전달해 공격할 수 있게 되었다.

비록 50센티미터라지만 주먹을 뻗어 원거리의 적을 타격할 수 있게 되다니, 단순한 격투술이 아니라 드디어 정말 게임에서나 등장할 법한 전투 스킬이 된 것이다. 이거라면 실전도 가능하겠다고 에반은 확신했다. 헤븐 프레스 따위와는 다르게 확실히 좋은 능력이었다.

"그런데 왜 천중 2……."

능력은 너무 좋은데 왜 네이밍 센스가 이따위란 말인가. 아니, 헤븐 프레스 같은 똥 스킬은 그럴싸하게 지어놓고 대체 왜!?

[그럼 이제 돌아가거라. 앞으로도 우리는 너를 응원하도록 하겠다. 부디 기억해다오, 나의 이름은 *%&*…….]

"잠깐만, 응원할 거면 일단 직업 이름이랑 스킬 이름부터 바꿔주고……."

이미 늦었다. 에반은 현실로 돌아와 있었다. 1층에서 그랬듯이 일행이 그를 멍하니 바라보고 있었다.

"……또 불려 가셨었습니까?"

"네."

라이한의 물음에 에반은 이를 갈며 대꾸했다. 사람 한 명 죽일 것 같은 눈빛이었다.

일행은 그 안에서 무슨 일이 있었는지는 묻지 않기로 했다. 그들은 학습능력이 뛰어난 프렌즈들이었다.

"다시 한 번 말해줄래?"

에반은 샤인에게 물었다. 샤인은 어깨를 으쓱이고는 앵무새처럼 방금 했던 말을 되풀이했다.

"에반 트레이닝, 아이언윌 하트, 그리고 전신의 투지 스킬이 하나로 합쳐져 신인단련법이라는 스킬이 되었습니다. 신들이 저한테 고맙다고 하던데요. 신인족을 최대한 많이 살려 달라고도 했습니다."

신인단련법. 던전레벨의 효과를 크게 받는다는 조건을 위해 애초에 몸의 균형이 일그러진 상태에서 태어나는 신인족 아이들을 효과적으로 교육하고 교정하며 강인하게 만들기 위한 전용 유니크 스킬.

그것이 샤인이 얻었다는 스킬의 정체였다.

"아, 그리고 집사 기술의 영향도 많이 받았다는데 그 스킬은 다른 능력이 너무 많아서 하나로 합칠 수는 없었고요."

"신인단련법, 당최 듣도 보도 못한…… 아니, 그 이전의 문젠데 이건."

에반 트레이닝은 무엇일까 했는데 아마 에반이 자체적으로 실시했던 현대식 체력단련을 말하는 모양이었다.

막연히 스킬화하지 않았을까 생각은 했지만 설마 그런 이름으로 스킬화했을 줄이야. 더구나 그것을 샤인도 익히고 있었다니!

"물론 너희한테도 가르치긴 했지만 설마 진짜 제대로 익혔을 줄은 몰랐어. ……그런데 그보다도 아이언월 하트랑 전신의 투지는."

"아이언월 하트는 아마 아이언월 나이츠의 단련법이라고 들은 것 같습니다. 기사들이 가르쳐주길래 일단 배워뒀습니다."

"야, 일단 배워둔다는 게 대체 무슨 말이냐……. 후작가 기사단의 단련법을 일단 배워둔다는 건 불가능해, 임마……."

"전신의 투지…… 제가 전신교단에 있을 때 익혔던 단련법입니다. 샤인에게도 보여주긴 했는데 설마 그것을 익히고 있었을 줄은……. 전신교단의 수련생도 아닌데."

에반과 라이한은 기가 막힌다는 표정으로 샤인을 바라보았다. 샤인은 대체 뭐가 문젠지 모르겠다는 듯 고개를 갸웃하고 있었지만 이건 실로 어마어마한 일이었다.

애초에 체력단련방식을 하나도 아니고 세 가지…… 아니, 집사 기술까지 합하면 네 가지나 익힐 수 있다는 것부터가 비정상적인 것이다. 간단히 말하자면, 검술에 재능이 있다면서 대검, 단검, 장검, 그리고 소드 브레이커까지 능숙히 다루는 꼴이었다.

"네가 왜 그렇게 몸이 튼튼했는지 알겠다……."

"샤인은 진짜 재능의 괴물이었군요. 어째서 도련님이 샤인을 신임하시는지 알 것 같은 기분입니다……. 저랑은 다르게."

"아니, 여태까지 몸에 생채기 한 번 안 났던 형이 그런 말을 하면 안 되죠, 형이."

샤인은 어이없어하며 대꾸했지만 지금만은 샤인의 편이 없었다. 샤인은 항상 에반에게만 쏠리던 시선이 자신에게로 쏠리자 지극히 당황했다.

"전 그냥 신인족 아이들을 빠르고 강하게 단련시켜줄 수 있는 좋은 방법이 있었으면 좋겠다고 생각했을 뿐인데. 애초에 도련님이 그 역할을 저한테 맡기셨잖습니까!"

"그게 보통 던전 5층을 깬다고 해결되지는 않잖아……. 아니, 아무튼 그렇게 진지하게 생각해주고 있었다니 고맙다. 그래서 직업은? 얻었냐?"

"후."

내내 당황스러워하던 샤인의 입가에 미소가 걸렸다. 아무래도 에반과는 달리 만족스러운 직업을 얻은 모양이었다.

"피의 집사. 멋지지 않습니까?"

"……끝까지 네 의지를 관철했구나."

"제가 뭐랬습니까, 저는 집사가 천직이라니까요. 도련님의 집사란 말입니다, 제가."

네 천직은 집사가 아니라 도적 계열 전사인데……라는 말은 도저히 나오지 않았다. 샤인이 워낙 뿌듯해하고 있었기 때문이다.

더구나 기본적인 직업 앞에 그것을 꾸며주는 말이 붙으면 보통은 좋은 직업이다. 요마대전 시리즈를 마스터한 에반이 아니더라도 '피의'라는 수식어가 굉장히 전투적인 성향이라는 사실 정도는 알 수 있을 것이다.

"피의 집사…… 그래도 본질적인 부분은 바뀌지 않아서 다행이다. 사일런트 나이트의 혼은 제대로 계승되고 있었어."

"그 사일런트 나이트가 뭐냐니까요, 진짜 안 가르쳐주실 겁니까?"

"루아는?"

에반은 애타게 물어오는 샤인을 무시하고 벨루아를 돌아보며 물었다. 그녀는 기다렸다는 듯이 답했다.

"마도 시녀입니다."

어라, 어쩐지 벨루아도 살짝 우쭐해하고 있는 것 같은데 에반의 기분 탓이겠지? 샤인을 향해 나도 꿀리지 않는다는 듯한 의미를 담은 시선을 보낸 것 같은데 아니겠지?

"스킬들이 전체적으로 성장하긴 했지만, 새로운 능력은 얻지 못했습니다. 죄송합니다, 도련님."
"아냐, 괜찮아. 너는 새로운 스킬이 중요하지 않으니까."

전투 스킬들이 다양하면 다양할수록 좋은 샤인과는 달리 벨루아는 마법에만 집중하면 된다.
그녀에게는 이미 마법을 보조하는 데 최상의 패시브 스킬인 '마녀의 길'이 있고, 그것으로 마법을 이끌어내는 화염마법과 얼음마법을 익히고 있으니 그 이상은 필요가 없는 것이다.

"루아는 이미 알아서 잘 성장하고 있어. 네가 생각하기에 최선이라는 길을 걷고만 있으면 되는 거야."

"……고맙습니다, 도련님."

"그럼 라이한 형은요?"

"방패입니다."

"네?"

"방패가 되었습니다."

에반은 잠시 뭐라 대꾸하지 못했다. 외도보다는 덜하지만 아무리 그래도 방패라니…….

분명 신들이 이 녀석에게는 이게 딱이라며 범인은 이해할 수 없는 센스로 그의 직업명을 정했을 것이다. 그 광경이 눈에 선했다.

에반은 측은한 표정을 지으며 라이한의 손을 꽉 붙잡았다.

"형, 우리 앞으로 더 친하게 지내요."

"어…… 공자님, 그런 말씀을 하시면 대답이 곤란합니다. 저는 굉장히 만족하고 있습니다. 제 방패술의 위력이 무려 30%나 강화되고, 맨몸으로 적의 공격을 맞을 때 방어력을 증가시켜주는 '맷집' 스킬 또한 얻었습니다."

라이한은 사제직을 되찾지는 못했지만 자신의 적성인 방패술을 극도로 강화시켜주는 직업을 획득한 것처럼 보였다. 초기직업 중 최고 효율을 자랑하는 희미한 빛의 검사와 동등한 능력! 이름은 훨씬 구리지만!

하지만 그의 능력을 생각한다면 오히려 이쪽이 더 나을 수도 있겠지. 에반이 고개를 끄덕이고 있자니 '그리고…….'라는 말과 함께 라이한이 덧붙여 말했다.

"신들의 힘은 정말로 놀랍더군요. 그분들께서 아티팩트가 아닌 장비를 아티팩트로 만들어주셨습니다."

"어, 그건 진짜로 놀라운 일인데……."

물론 게임 내에서도 가끔 던전 클리어 보상으로 일반 장비가 아티팩트로 강화되는 경우가 있긴 하다.

하지만 그건 어디까지나 장비하고 있는 물건에 한정되기 때문에, 아티팩트로 만들고 싶은 장비를 입고 내내 던전만 돌 게 아니라면 노려서 아티팩트화하기는 힘든 법인데…….

"그런데 잠깐만. 형이 착용하고 있는 장비라고 해봤자 에코 실드랑 인비저블 실드뿐인데 에코 실드는 이미 아티팩트잖아."

"역시 명석하십니다, 공자님. 이 갑옷이 아티팩트화하며 도련님께서 붙여주셨던 '인비저블 실드'라는 이름을 정식으로 얻었습니다. 방패로서 지닌 능력이 강화된다고 합니다."

"……."

"맷집 스킬은 장비가 없이 맨몸에 공격을 맞아야만 효과가 있는 스킬이니, 이 또한 궁합이 좋다고 할 수 있겠군요. 앞으로는 맷집 스킬도 부지런히 수련해야겠습니다."

좋은 일인데…… 아니, 진짜로 좋은 일인데 이 알 수 없는 허무감은 뭐지? 애초에 장비란 뭐지? 아티팩트란 뭐지, 그리고 저주템이란 뭐지? 스킬은 또 뭐지? 에반은 설명할 수 없는 혼돈에 빠져들었다.

"아니…… 어쨌든 결국 네 명이 전부 직업을 얻었으니 소기의 목적은 달성한 셈 치죠. 신체교정도 다 끝났다고 했지?"

결국 에반은 인비저블 실드에 대해선 깔끔하게 잊어버리기로 했다! 샤인과 벨루아는 신체교정까지 확실하게 끝났다는 선언을 해 에반을 안심시켰다. 이것으로 신인족을 키우는 가이드라인이 마련된 셈이었다.

"11살…… 적어도 12살이 되기 전까지는 신인족 아이들을 모두 5층까지 클리어시켜야 한다는 얘기지. 지금 다른 아이들 중에 제일 연장자가 폴이랑 마리였나?"

"예, 도련님. 둘 다 지금 아홉 살입니다."

"그럼 2년에서 3년이 남은 셈이네. ……샤인, 어때?"

"신인단련법을 제대로 익혀주기만 한다면, 예. 가능할 것 같습니다. 잘하면 2년 만에도."

피의 집사라는 직업과 신인단련법이라는 기술까지 얻어 던전 기사단의 부단장 겸 예비 단원 훈련 담당에 취임할 준비를 완벽하게 마친 샤인이 씩씩하게 대꾸했다. 에반은 만족했다.

"그럼 업적상자 까볼까."

하지만 워낙 그들이 신들로부터 직접 얻은 보상이 화려해서일까, 업적상자의 내용물은 적잖이 그들을 실망시켰다.

제법 많은 업적을 달성했다고 생각하고 있었는데 그 안에는 금화 몇 개, 은화 수십 개, 그리고 소모성 마도 폭탄 하나가 들어있을 뿐이었던 것이다.

"아니, 여태까지가 평범하지 않았던 거지, 원래는 이게 당연한 것 맞죠?"

"응, 맞아. 이게 당연한 거야. 그러니 너희도 냉엄한 현실 앞에 절망하도록 해."

이미 말했지만 설령 히든 보스를 사냥한다 해도 보상이 크게 늘어나지는 않는다. 신들로부터 좋은 직업과 스킬을 얻어낼 확률이 다소 증가할 뿐, 이제 고작 5층을 클리어한 탐험가들 앞에 아티팩트가 툭하니 떨어지거나 하는 일은 없는 것이다.

"하지만…… 보너스 상품이 아직 남아있지."

그렇다.
보너스를 제외하고는.

"그게 바로 도련님께서 원하시던 겁니까? 그걸 어떻게 얻습니까? 혹시 이 마신상에 제물이라도 바쳐야 합니까?"

그렇다면 제가, 하고 당장이라도 제 팔을 그어 피라도 흘릴 것처럼 샤인이 제스쳐를 취했다. 오버하는 게 아니라 부탁한다면 곧장 그러려고 들 것 같아 무서웠다.

"아냐. 물론 그런 이벤트도 있긴 한데 이건 아냐. 그렇게 복잡한 방법이 아냐."

에반은 피식 웃으며 말하고 파티원들을 뒤로 물러나게 했다. 그리고 있는 힘껏 주먹을 쥐어, 던전에 들어와 처음으로 천중을 발동하여…… 눈앞의 아름다운 마신상을 그대로 부수어버렸다!

"헉!"
"으와, 사악한 기운이!"

라이한의 입에서 기이한 비명이 터져 나왔다. 신성력을 다루는 그이기에 느꼈으리라. 에반이 마신상을 부수는 순간 터무니없는 마기가 튀어나오는 것을!

그 마기는 이내 산산조각 난 신상의 파편에 흡수되었고, 그것들이 이내 한 점으로 뭉치며 일정한 형상을 이루었다.

그것은 한 쌍의 부츠였다. 목이 두꺼운 부츠.

"부츠……?"

"아니, 분명히 조금 전까지 돌이었는데……?"

겉이 금속 재질로 번쩍이기는 했지만 부츠의 안감은 폭신한 털이었다. 가죽으로 되어 있는 부분도 있었다. 좌우지간 돌은 아니었다.

눈앞에서 일어난 기사에 일행이 얼어붙은 찰나 에반은 태연하게 그 부츠를 집어 들었다. 상당히 무거웠지만 에반 트레이닝과 슬라임 수련으로 단련된 그에겐 솜털처럼 가벼웠다.

"내가 원하던 게 바로 이거야."

"아니, 아무리 봐도 그건 저주받은 아이템인데요!"

"저주받은 아이템이 맞아요, 형."

"그걸 어디에 쓰시려고요!?"

"당연히 내가 신어야지."

장비를 얻었으니 착용하는 게 당연하지 않은가.
그렇다. 당연하다. 그것이 저주받은 장비이기에 더더욱.

"아니 왜……."
"이 아이템은 먼 옛날, 자신의 실력에 큰 자신을 지니고 있는 이들이 굳이 자신의 능력에 제한을 둬서까지 던전을 탐사하고자 착용했던 아이템이야."

즉 요마대전 시리즈의 썩은물들이 게임을 그냥 깨면 재미없으니까 일부러 착용했던 저주템이라는 얘기다.
이 부츠에는 놀랍게도 모든 스테이터스를 절반 가까이 낮춰버리는 극악무도한 저주가 걸려 있었다! 그나마 신고 벗는 게 자유로워 그리 극심한 피해가 날 일은 없었으나, 썩은물들은 이 부츠의 저주를 알고도 계속해서 신었다.
다시 말하지만, 게임을 그냥 깨면 재미가 없기 때문이다.

"……."
"죽고 싶어 환장한 자들이로군요……."
"그런데 어느 날, 어떤 사람이 세기의 발견을 하고 만 거지. 놀랍게도 이 부츠에 걸린 저주가 너무 강력한 나머지, 이걸 신고 있으면 계속해서 저주를 받는 취급이 되는 거야!"
"그러면 어떻게 됩니까?"

에반은 세상에서 최고로 멋진 미소를 지으며 대꾸했다.

"저주 내성 수련이 돼. 그것도 엄청나게 빠른 속도로! 스테이터스가 절반으로 내려가는 정도야, 저주 내성을 수련할 수 있다면 기꺼이 감내해야지!"

"……."

"아, 아아……."

그 시점에서 일행은 완벽히 이해하고 말았다. 어쩐지 부츠를 얻었을 때 에반의 표정이 독차를 마실 때 짓던 표정이랑 비슷하더라니……!

"도련님, 솔직히 말해주세요. 이렇게 던전에 들어오는 걸 서둘렀던 것도 전부 그 부츠 때문이죠? 저희 때문 아니죠?"

"아니야, 그럴 리가 없잖아. 겸사겸사지, 겸사겸사."

"어느 쪽이 겸사인지 너무나 궁금한데……!"

에반은 샤인의 의문을 개무시하며 그 자리에서 부츠를 신었다. 딱 좋게 발을 조여 주는 느낌, 전신에 힘이 빠지는 이 느낌!

분명히 저주겠지만 어떠랴, 이걸 신고 저주 내성을 수련해야만 나중에 그에게 닥쳐올 다른 저주의 시련들을 이겨낼 수 있음이니!

"자, 이제 얻을 거 진짜 다 얻었으니까 돌아가자!"

마신의 저주를 받은 에반은 흐뭇한 미소를 지으며 선언했다. 불로장생 프로젝트 넘버식스, '아이기스'가 정상 시동하는 순간이었다!

Chapter 20.
에반 디 셰어든, 개선하다

에반 일행은 기사단장과 함께 던전을 나왔다. 계단을 타고 1층까지 올라오는 것……은 물론 아니다.

아래층으로 내려가는 계단이나, 위층으로 올라가는 계단이나 아무 것이든 붙잡고 시동어를 외우면 던전을 빠져나올 수 있었다. 당연하지만 이 또한 신의 흔적이었다. 이러니 던전을 신이 만들었다고 주장하는 이가 많은 것도 이해할 수 있다.

"에반!"

일행이 던전을 빠져나오자마자 에반에게 달려와 껴안는 이가 있었으니 바로 후작부인 레디네였다.

그녀는 던전에서 만 이틀을 넘게 구르느라 에반이 더러워진 것도 신경 쓰지 않고 그의 얼굴에 자신의 뺨을 문댔다.

"어디 안 다쳤니? 힘들지는 않고?"

"괜찮아요, 어머니. 멀쩡해요."

"그렇다니 정말 다행…… 아니, 저주받은 물건을 신고 왔잖니!?"

"괜찮은 물건이라니까요, 어머니."

에반은 기겁하는 후작부인 앞에서 저주받은 부츠를 신었다 벗었다 하며 그녀를 안심시켰다.

스테이터스가 줄어든다는 너무나 치명적인 단점이 있었지만 그것을 제외하면 부츠는 의외로 좋은 아티팩트이기도 했는데, 바로 빼앗아가는 스테이터스를 대신해주듯 높은 방어력을 제공해주었기 때문이다.

'그것도 전신에 적용되는 방어력을 말이야. 어차피 내가 정면에서 싸우고 다닐 것도 아니고 뒤에서 연금술로 보조만 할 건데, 스테이터스를 낮춰주는 대가로 방어력을 적용받으면 좋은 거지.'

본래 요마대전의 장비는 아무리 방어력이 높아도 착용한 해당 부위에만 한해서 방어력이 적용되는데—인비저블 실드 제외—, 이 부츠는 그래도 아티팩트랍시고 착용한 순간 전신에 부츠의 방어력이 적용되는 것이다.

말 그대로 스테이터스 절반과 전신 방어력을 맞바꾸는 셈이었는데, 어떻게 되든 몸의 안전만을 도모하는 에반에게 있어서는 이 이상 좋은 아이템도 없었다. 에반이라고 아무 생각도 없이 덥석 부츠를 챙겨온 것이 아니었다.

'독극물들은 그 특전도 마음에 안 든다고 어떻게든 지우려고 발악을 했지만 말이야…….'

전생의 그도 만만치 않은 독극물이었지만 그런 놈들의 장잉정신—잉여짓의 장인이 되고자 하는 정신—은 정말 알아줘야 했다.

에반은 그렇게 생각하며 고개를 절레절레 저었지만, 그를 바라보는 다른 이들도 항상 그 비슷한 생각을 한다는 것은 안타깝게도 모르고 있었다.

"어머니, 혹여 다른 이들이 관심을 갖지 않도록 부츠의 저주를 못 알아보게 하는 건 가능할까요?"

"그야 아주 쉬운 일이지. ……에반, 네가 관심받을 일만 골라 한다는 것은 알고 있구나."

"에반!"

"에반!"

"어바!"

후작부인이 은밀히 주문을 걸어 부츠가 평범한 아이템으로 보이게 된 직후 그는 그녀의 품에서 풀려날 수 있었다.

그러자 그것만 기다리고 있었다는 듯이 후작과 에릭과 2부인 미리엄의 품에 안겨있던 엘리자베스가 덮쳐왔다.

"아버님, 형님, 돌아왔습니다. 그리고 엘리자베스, 너는 안 돼."

"으우우. 어바……."

워낙 그들의 기세가 강렬하여 순간 겁을 집어먹고 만 에반이었으나 일단 엘리자베스만은 물렸다. 던전에서 묻어온 더러운 것들이 혹여 연약한 아기에게 악영향을 미칠까 두려웠으니까.

"정말로 어찌 이틀 만에 5층까지 정복한 것이냐."

"지도를 작성했어요, 아버님. 나중에 보여드릴게요."

"지도!? 허어, 물론 우리 후작가도 대변화 이후의 지도를 보유하고는 있지만, 설령 지도가 있다고는 해도 던전에서 길을 잃지 않기란 힘든 일인데……."

아마도 후작가에서 보유하고 있는 것과는 비교도 되지 않는 수준의 정밀한 지도와 거기에 더해 에반의 연금술 능력에서 비롯된 공간인지능력 —물론 그도 연금술을 익힐 땐 이런 능력까지 길러질 줄은 몰랐다— 덕분에 가능한 일이었다.

에반은 나중에 5층까지의 정밀지도를 은밀히 후작에게만 보여줘야겠다는 생각을 하며 헤죽 웃었다.

"저희 모두 무사히 다녀왔습니다, 아버님. 그리고 이것이 미래를 위해 최선의 선택이며 도전이었다는 사실을 확신했습니다."

"나는…… 나는 아직 모르겠구나. 너무 어린 나이에 레벨을 올리는 것이 신체에 어떤 악영향을 줄지도 모르고, 내가 너무 선불리 허락한 것이 아닐까 아직도 불안하다."

"저를 믿어주세요, 아버님. 저는 제가 옳은 선택을 했다고 확신해요."

당연하지. 던전레벨을 올리는 것은 곧 신체의 잠재력을 확장시켜주는 일인데. 신체의 자연스러운 성장에 방해가 되기는커녕 보다 강해질 수 있도록 도와줄 터였다.

그런 굳건한 에반의 의지가 강해진 것일까, 후작은 끝내 고개를 끄덕이고 말았다.

"알겠다. 너를 믿겠다. ……하지만 6층은 안 된다."

"헤, 지금은요."

"이 녀석, 역시 5층까지만으로는 만족하지 못하고 있었구나."

물론 에반도 던전이 어려웠으면 마음을 깔끔하게 접을 수 있었겠지만 그게 그렇지가 않으니까! 이 저주받은 부츠를 신고도 여유롭게 클리어할 수 있을 것 같으니까 이런 말을 하는 것이다!

그가 진지한 눈으로 후작을 바라보자, 후작은 한참을 고민했으나 이내 한숨을 쉬며 고개를 끄덕였다.

"그 문제에 대해서는 나중에 조금 더 얘기를 나눠보자꾸나. 그래도 지금은 안 된다. 던전에 다녀왔으니 많이 지쳤을 게야. 레벨이 오른다는 것도 보통 일은 아니란다."

"네, 알겠습니다. 고맙습니다, 아버님!"

에반은 반색하며 후작의 뺨에 뽀뽀를 했다. 이제 만으로 열두 살이나 먹은 자식인데 후작은 그저 좋아 어쩔 줄을 몰라 했다.

옆에서 에릭이 무척 부럽다는 듯이 후작을 바라보고 있었지만 애써 무시했다. 슬슬 형에게 하는 뽀뽀는 위험한 나이가 된 것이다.

"샤인, 벨루아. 너희도 고생 많았다. 어머나, 벨루아…… 너 정말 많이 성장했구나?"

"마님께서 가르쳐주신 것들 덕분입니다."

에반이 아버지와 형과 해후를 나누고 있을 때 후작부인은 샤인과 벨루아도 차례로 한 번씩 끌어안아주며 다독여주었다. 에반이 그러하듯, 그녀도 그 아이들을 단순한 하인으로 대하지 않게 된 것이다.

특히 후작부인은 자신의 제자이기도 한 벨루아가 터무니없이 성장했다는 것을 한눈에 알아보고는 경악했다.

"신인족…… 정말이구나. 에반의 말이 틀리지 않았다는 걸 당장 나부터가 알겠어. 네게 부족했던 모든 게 완벽 그 이상으로 채워지다니. 우흐흐, 어쩜 이 아이는. 복이구나, 복이야."

"마님, 부끄럽습니다."

벨루아는 자신을 안아 들고 제자리에서 빙글빙글 도는 후작부인에게 냉정히 대꾸했으나 뺨이 약간 달아오르는 것은 어쩔 수가 없었다.

에반은 그 모습을 보며 흐뭇하게 웃었다. 그나저나 후작이 있는 자리에서도 거침없이 그런 말을 하는 것을 보면 아무래도 에반이 모르는 사이 후작과도 한 번 더 얘기를 했던 모양이다.

"에반, 이것을 들거라."

후작이 에반에게 펄럭이는 깃발이 매달린 깃대를 건넸다. 셰어든 후작가의 인장이 새겨진 그 깃발은 기수가 들 법한 커다란 기였다.

"본래 던전 기사단의 깃발을 내거는 것이 맞으나 그것은 아직 정식으로 제작되지 않았으니, 오늘은 우리 후작가가 네 위세를 등에 대신 업으마."

"반대겠죠, 아버님. 제가 여기에 서 있을 수 있는 건 제가 셰어든 후작가에 태어났기 때문인걸요."

"아니, 우리 셰어든 가문이 네게 큰 신세를 지고 있는 것이란다. 자, 어서 이것을 들고 나아가라. 모두가 너를 기다리고 있어!"

되도록이면 조용히 나오길 원했지만 후작이 그렇게 놔둘 리가 없다는 것 정도는 에반도 익히 예상하고 있었다.

그는 쓴웃음을 지으며 깃대를 받아 들었다. 셰어든 후작가의 인장은 포효하는 괴물의 목에 길다란 창이 꽂힌 것이었는데, 바라보는 것만으로 몬스터의 위협을 막아내겠다는 강렬한 기세와 의지가 느껴지는 멋진 인장이었다.

"도련님, 가시죠."

"저희는 준비가 되었습니다."

"뒤를 따르겠습니다."

어느덧 샤인과 라이한, 벨루아까지 그의 뒤에 늠름하게 서 있었다. 던전에서 묻은 피와 먼지를 닦아낼 생각도 하지 않고 태연히 선 모습만은 아주 베테랑이었다.

"어바, 어바!"

"리즈, 너까지. ……그래, 알았다. 오빠 멋진 모습을 보여줘야지."

옹알이에서 한 단계 나아가 벌써 말을 하기 직전에 이른 엘리자베스의 외침이 에반의 기운을 더욱 북돋워주었다.

그는 사랑스러운 여동생에게 싱긋 웃어주곤 깃대를 높이 들었다. 겉으로 보기엔 그 또한 늠름해 보였다.

"가죠!"

"옙!"

에반이 당당하게 앞장을 서고 파티원들이 그 뒤를 따랐다. 신전을 나오자 당장 그의 두 눈에 가득 차는 것은 대로변의 좌우로 길게 늘어선 사람들, 사람들, 그리고 또 사람들.

열두 살이라는 어린 나이에 던전의 5층까지 무사히 클리어하고 귀환한 그를 보기 위해 던전도시의 거의 모든 주민이 몰려든 것이다.

평소 그에게 향하던 애정과 관심이 더해져, 사람들은 흡사 국왕이라도 보는 것처럼 그를 바라보고 있었다. 실로 숨이 벅찬 광경이었다. 파티회장에서 모두의 주목을 받았을 때와는 또 다른 기분이었다.

"오오오오오, 진짜 이틀 만에 나왔잖아!"
"맙소사, 이틀 동안 던전 1층을 클리어했다고 해도 대단한 일인데…… 정말 5층까지 클리어했나? 정말?"
"거짓말이면 나중에 들통나겠지, 바보야."
"에반 오빠 멋지다!"

사람들의 환호에 섞여 세레이나 공주의 기성이 들려왔다. 그래, 여태 집에 안 갔을 줄 예상하고 있었다.
그는 군중 속에서 뛰쳐나와 그를 껴안으려다가 기사들에게 제지당하는 세레이나를 보며 쌤통이라는 표정을 짓곤 당당히 걸어 나아갔다.

"에반 도련님!"
"도련님, 너무 멋지십니다! 이쪽 한 번만 봐주세요!"
"어쩜 던전에서 구르다 나오셔도 저렇게 멋질까."
"대체 어떻게? 파티회장에서 뵈었을 때보다 정말로 기세가 더 강해지셨어……!"
"저 소년은 대체 어찌 그리 강인한가, 드디어 셰어든에서 용이 탄생했는가!"

사방에서 들려오는 환호, 감탄, 경악, 놀람. 너무 큰 소리에 어깨가 반사적으로 움츠러드는 것을 에반은 필사의 의지로 저지했다.

이때 그가 익힌 제왕학이 도움이 되어주었다. 제왕학은 귀족에게 필요한 모든 지식뿐만 아니라 귀족에게 필요한 태도와 자세까지도 몸에 익게 해주는 능력!

그가 오연히 앞을 응시하며, 깃발을 휘날리며 행진하는 모습에 어디선가는 더한 감탄이, 어디선가는 박수가 터져 나왔다. 아마 그들은 에반의 속내는 알지 못할 터였다.

'분명히 에반 데드 엔딩 중에 후작가 깃발 들고 설치다가 죽는 게 있었는데 그게 이건 아니겠지. 일단 내가 받아 들긴 했는데 이거 그냥 라이한 형 주면 안 되나……?'

양손이 깃발로 봉인되었다는 불안감과, 그럼에도 불구하고 후작가의 체면을 위해 차마 물러설 수는 없다는 자존심이 공존했다.

에반은 자신 뒤에 따라오고 있는 라이한의 모습을 슬쩍 확인하고 나서야 재차 자신감 넘치는 척 발을 옮겼다. 괜히 깃발도 한 번 휘둘러주었다.

"도련님! 도련님! 이쪽이에요, 이쪽!"

"아, 진짜, 가만히 있으라고! 저택에 가면 뵐 수 있다니까!"

"누가 재한테 마비 마법 좀 걸어봐! 뭐, 마비가 안 들어!?"
"양쪽에서 꽉 붙들어! 힘이 아주 황소 같아!"

괜찮다. 이미 던전에서 라이한의 어그로 능력은 확인하지 않았던가, 분명 괜찮을 거야. 관중 중에 칼 든 미친놈이나 메이벨이 있어도 라이한이 막아줄 거야! 아마, 제발!

"하, 터무니없이 강해지겠는데."
"속내를 알 수 없는 저 보랏빛 눈을 봐. 귀족이 힘까지 타고나면 저런 표정을 지을 수 있게 되는 건가."
"실로 오랜만에…… 던전 기사단이 지배하는 시대가 오겠군. 길드의 텃세는 줄고, 후작가의 위세는 커지겠어."

주민들은 그저 마냥 환호했다면, 전투 길드의 면면들은 에반을 보며 그가 '정말로' 던전 5층까지 클리어했다는 것을 확신할 수 있었다. 어쩔 수 없이 느끼고 마는 기세라는 것이 있었다.
……그런 이들도 에반이 저주받은 부츠로 스테이터스가 저하되었다는 것까지는 모르고 있었지만! 만약 부츠까지 벗고 있었으면 어땠을지 두려울 정도였다!

"힘든 시절이 오겠어……. 저 소년이 완전히 자라기 전까지 우리 길드의 입지를 다지지 않으면 안 돼."

"무슨 말도 안 되는 소리. 던전 기사단이 강인하면 전투 길드도 득을 볼 수 있다. 저 소년은 던전도시와 우리 탐험가들 모두의 복이 될 거야."

"……빨리 자라주었으면 좋겠는데."

오늘 이날, 에반 디 셰어든의 이름은 그 빛나는 미모와 함께 던전도시의 모든 길드의 수뇌의 뇌리에 단단히 각인되었다.

에반이 당초 했던 생각보다 약빨이 심히 과하게 먹히기는 했으나, 어쨌든 그의 던전 데뷔는 실로 성공적으로 이루어졌다고 할 수 있었다.

무수한 사람들의 관심 속에서 개선한 에반은 후작가에 도착해 깃대를 다시 저택 앞에 꽂고 나서야 진정할 수 있었다. 뒤늦게 어마어마한 쪽팔림이 밀려왔다.

"고작 던전 5층 격파한 정도로 유세를 떨었으니 얼마나 없어 보였을까."

"5층이라는 게 중요한 게 아니라 열두 살 나이에 플로어 마스터 격파를 해냈으니 대단하다는 거잖습……."

"도련님!"

아니, 기껏 당당하게 잘해놓고 이제 와서 침울해하다니? 요마대전 고인물의 자존심에 대해서는 아직 잘 알지 못하는 샤인이 에반을 위로해주려는 그 순간, 그를 제치고 나타난 메이벨이 에반에게 넙죽 안겼다.

"무사하셔서 정말 다행이에요! 정말이지 도련님 모습이 너무 늠름하신 나머지 저도 한순간 정신을 잃고 말았습니다……!"

"알았어, 알았으니까 떨어져."

"사람들도 전부 경악하고 있다고요. 던전 1층도 뚫지 못하고 은근슬쩍 도전했다는 것에 의의를 남기며 도망치는 것 아닐까 예상했던 사람들이 대다수였거든요."

"알았으니까 떨어져."

"그런데 정말로 5층까지 정복해버리시다니! 아직 창설되지도 않은 던전 기사단의 주가가 지금 상한을 돌파하고 있다구요!"

"그래, 알았으니까 떨어져."

메이벨의 말에 과장된 부분은 있을지 몰라도, 최소한 셰어든 후작가의 이름에 먹칠을 하는 것은 면한 모양이다.

에반은 쓴웃음을 지으며 은근슬쩍 자신에게 뽀뽀를 하려 드는 메이벨을 떼어놓았다. 얘는 진짜 왜 안 잘리고 있는 걸까.

"나 좀 씻자."

"제가 씻겨드릴까요?"

"미안한데 누가 메이벨 좀 데려가. 절대로 내 방에 못 들어오게 해줘."

마음 같아서는 형제목욕탕에 들어가고 싶었으나 지금 형제목욕탕에 가면 탐험가들의 관심을 한 몸에 받을 것이 분명했기에, 그는 방에 딸린 욕실에서 씻는 것으로 만족하기로 했다.

어차피 스킬 수련이 중요한 날이 아니기도 했다.

"후우."

던전에서 묻어온 피와 먼지를 비롯한 더러움, 피로감까지도 뜨거운 물로 씻어 내린 후, 에반은 일부러 다시 부츠를 착용했다. 가죽장갑과 마찬가지로 앞으로는 이 부츠 또한 그의 생활의 일부가 될 것이다.

"자, 그러면 지금부터가 중요한데……."

일부러 방에는 누구도 들이지 않았다. 에반은 자신이 부츠를 착용해 제대로 스테이터스 저하 효과를 받고 있는 것을 확인하며 짙은 한숨을 한 번 내쉬고는, 가죽장갑을 착용하고, 므이라슬의 목걸이를 목에 걸었다.

'지금 내 스테이터스는 아마도 절반이 된 상태.'

과연 이 상태에서도 슬라임 수련을 하는 것이 가능한가? 보다 정확히는 반복적인 마격—마무리 일격—으로 슬라임이 미처 모습을 드러내기도 전에 단숨에 죽이는 것을 반복하는 수련이 지금 무력 수준으로도 가능할 것인가?

던전레벨도 오르고 자신의 신체를 강화시켜주는 스킬인 천중이 업그레이드되기도 했으니 가능할 것 같다는 생각이 드는 한편, 아무리 그가 던전에서 성장한 것을 감안해도 스테이터스가 절반으로 줄었는데 여태껏 성장을 몇 번이나 거듭한 슬라임을 마격으로 죽이는 것이 가능할까, 회의감이 들기도 했다.

'지금이 중요해. 마격이 통하면 슬라임 수련과 저주 내성 수련을 병행할 수 있다는 얘기고, 안 통하면 저주 내성 수련과 슬라임 수련을 적절히 병행시키기 위한 개선안을 내야 해.'

그러고 보면 이번에 던전에서 자신이 기습 스킬을 익혔다는 것을 깨닫게 되었다. 그게 어느 정도만 도움을 주어도 슬라임을 효과적으로 잡을 수 있을 텐데…….

'이미 저주 상태이상에 걸려 있으니 따로 독차를 마셔서 상태이상에 걸릴 필요는 없고.'

마격을 위한 나머지 조건이 전부 갖춰진 것을 마지막으로 확인한 후, 에반은 심호흡을 하고…… 슬라임을 소환하며 허벅지 근육을 꿈틀거렸다 풀어내며 양손 주먹을 쥐었다!

"……."

적막이 흘렀다. 에반은 잠시 그대로 슬라임 수련을 재개해, 한 5분 정도 묵묵히 양손을 잼잼했다.

평소와 같은 페이스로 한 손에 세 마리씩 무려 여섯 마리의 슬라임을 동시에 죽이는 작업을 몇 분이고 반복하고서야 그는 비로소 확신을 얻었다.

'된다!'

그것도 아주 수월하게 된다, 스테이터스가 절반 줄었다는 걸 인지하기 힘들 정도로 쉽게 된다! 기습 스킬이 제대로 효과를 보이고 있는 것이다!

에반은 지난 세월에 대한 보상을 받는 것만 같은 기분이었다. 그동안 열심히 노력을 해서 존재레벨을 올렸기에, 마격을 반복해서 제힘으로 기습 스킬을 익혔기에, 재능이 없는 육신으로 열심히 노력하여 끝내 천중 2를 숙달했기에!

그 모든 노력이 합쳐져 지금의 슬라임 수련을 가능케 했다! 불로장생의 두 가지 프로젝트—넘버원 레벨 업과 넘버식스 아이기스―의 병행을 가능케 했다!

"앞으로의 슬라임 수련에도 큰 문제는 없겠어……."

에반은 진심으로 안도하며 가슴을 쓸어내렸다. 그도 이번 던전행에서 자신이 슬라임 수련을 통해 올린 존재레벨이 만만치 않다는 것을 깨달았기에 수련양을 줄이고 싶지 않았던 것이다.

그렇다고 저주 내성 수련시간을 줄여? 그것도 안 될 일이다. 에반은 저주를 당해 조종당하거나 매혹당하거나 약화되거나 석화되거나 하여 게임 속에서 수십, 수백 번을 죽으니까!

'부디 사망 신호의 위협이 본격적으로 닥쳐오기 전에 저주 내성이 무럭무럭 성장해주길……!'

에반이 살아보니 아직까지는 사망 신호가 그리 본격적으로 나타나고 있지 않은 것처럼 보여, 역시 본편 시작 시점에서부터 사망 신호의 폭주가 시작되는 것이 아닐까 조심스레 추측해볼 수 있었으나…….

세상에 절대란 없는 법이다. 이러다 어느 날 위험해질지 모르니 미리미리, 빠르게 대비를 하는 것이 중요했다.

❋❋❋

“그래서 앞으로 그렇게 저주받은 부츠를 신고 살겠다고.”

“네.”

버나드는 저주를 받는 것이 무서우니 평생 저주를 받은 채 살겠다고 주장하고 있는 자신의 제자를 보며 대체 무슨 말을 해야 할까, 고뇌했다.

“꼬맹아, 너 바보냐?”

고뇌는 길지 않았다.

그러나 에반은 마치 스승의 말을 예상이나 하고 있던 것처럼 득달같이 반박했다.

“이 저주는 제 목숨에 전혀 나쁜 영향을 주지 않는다고요! 제겐 스테이터스보다 방어력이 훨씬 더 중요해요, 훨씬. 게다가 저주 내성 수련도 되고요. 이게 바로 일석이조잖아요, 일석이조.”

“그야 딴엔 맞는 말이긴 하다만…… 스테이터스가 필요한 상황이 오면 어쩔 테냐?”

“제 스테이터스가 필요한 상황이 언제 어떻게 왜 올지는 모르겠지만…… 그때가 오면 그냥 부츠를 벗으면 되죠? 저 이거

벗는데 얼마 안 걸려요. 연습해봤는데 이제 1초면 벗어요."
"……."

에반은 그 말과 함께 실제로 부츠를 벗는 시연을 해 보였다.
놀랍게도 그 말은 정말이었다. 다리와 발 근육이 어떻게 움직이는 건지, 휙, 발목을 젖히니 부츠가 튀어나왔다. 잘만하면 부츠로 투척 공격이라도 할 것 같았다.

"꼬맹이, 넌 정말 이런 쓸데없는 데서 사람을 놀라게 하는구나."
"아니, 저 정도면 한 가지 뚜렷한 목적을 위해서만 매진하는 올바른 사람이거든요. 그렇지, 리즈?"
"아우아! 어바!"
"리즈도 맞다잖아요."

그들은 지금 에반의 방에서 함께 차(에반은 독차)를 마시고 있었다.
에반이 오늘은 연금술 수련 대신 얘기를 나누고 싶다고 해 생애 처음 경험해본 던전에 대한 감상이나 늘어놓으려는 줄 알고 느긋한 마음으로 찾아왔더니 이 부츠였던 것이다.

"그래서 그 꼬마 아가씨는 왜 같이 있는 거냐?"
"던전에 들어갔다 왔더니 저한테서 떨어지려고 하질 않

아요.”

“아부아!”

아무래도 던전에서 더러운 꼴로 나와 다가오지 못하게 했던 것이 엘리자베스에게는 무척 섭섭했던 모양이었다. 에반이 탕에 들어갔다 나와 완벽히 깨끗해진 오늘 아침 그를 보자마자 와다다 달려들어 안기더니 도무지 떨어지려 하지 않았던 것이다.

그래서 에반은 동생을 위해 오늘 하루만 격투술 수련과 연금술 수련을 쉬기로 했다. 큰마음 먹고 슬라임 수련과 독 내성 수련과 저주 내성 수련에만 매진하기로 한 것이다.

덤으로 포커페이스와 부동심 수련도 하려고 했지만 이쪽은 아무래도 차도가 없었다.

“……그런데 꼬맹아, 너 지금 은근슬쩍 다 죽어가는 슬라임을 동생한테 쥐여 주고 있는 것 아니냐.”

“이젠 이것도 테크닉이 늘어서요. 그렇지, 리즈?”

“아바바!”

[뀨웃!]

에반의 품에 안긴 채인 엘리자베스가 호쾌하게 알아듣지 못할 소리를 지르며 그가 내민 슬라임을 찰싹 때렸다.

얼마나 에반의 슬라임 체력 조절 능력이 절묘했으면, 아티팩트를 착용하지도 않은 아이가 고작 손바닥으로 한 번 갈겼다고 슬라임이 깔끔하게 죽어버렸다.

"아이일 때 면역력을 길러주려면 역시 애 레벨을 올려주는 게 최고잖아요? 요즘 이거 상식이잖아요."

"마치 갓난아이한테 슬라임을 잡게 하는 게 모든 집에서 따라 해야 하는 모범수칙인 것처럼 얘기하지 마라, 이놈아. …… 그래도 그 아이 정말 건강해지긴 하겠구나."

"어바!"

엘리자베스의 체력이 허락하는 선에서 꾸준히 슬라임을 내밀어 죽이게 하고 있으니 모르긴 몰라도 존재레벨이 하나둘 정도는 추가로 오를 터.

버나드도 한 살 나이에 몬스터를 잡은 이에 대한 얘기를 들어본 적이 없어 잘은 몰라도 그게 최소한 몸에 나쁘지는 않을 터였다. 에반의 말마따나 면역력이 길러지는 것도 당연한 얘기다.

"므이라슬의 목걸이가 하나 더 있으면 좋을 텐데."

"관둬라, 너 같은 괴물을 하나 더 만들 셈이냐?"

"동생이 건강하게 자라나길 바라는 건 모든 오빠의 공통된 마음 아닐까요?"

"난 방금 괴물이라고 말했다. 지금 이대로만 커도 무척 건

강할 테니 냅둬라."

"아바바!"

에반과 버나드는 그렇게 잠시 슬라임을 힘차게 때려죽이는 1살 아이를 지그시 바라보며 느긋한 오후의 여유를 즐겼다. 그러다 문득 버나드가 말했다.

"그럼 이제 말해봐라. 대체 뭐길래 이리도 뜸을 들였는지 궁금하구나."

"할아버지 도 닦았어요?"

"예끼, 네놈이랑도 이제 슬슬 3년이다, 3년. 뭘 생각하는지 모르면 그게 이상하지 않겠냐."

에반은 버나드의 말에 후우, 한숨을 내쉬었다. 엘리자베스를 고쳐 안은 후, 그는 조심스레 인벤토리 포켓에 손을 넣어…… 불사조의 깃털을 꺼내 테이블 위에 내려놓았다.

"……."

버나드가 말을 잃었다. 전설의 연금술사가 불사조의 깃털을 알아보지 못할 리가 있는가? 오히려 그것을 정확히 파악했기에, 그 어마어마한 가치를 알고 있기에 아무 말도 하지 못한 것이다.

"넌…… 넌 정말 언제나 나를 놀라게 하는구나. 심장마비 오는 줄 알았다."

몇 분이나 지났을까, 버나드가 힘겹게 입을 열어 말했다. 에반은 어깨를 으쓱였다.

"이번엔 정말 저도 몰랐어요. 이걸 얻게 될 줄 알았으면 저도 아마 할아버지한테 상담을 했을걸요."

"이게…… 이게 던전에 숨겨져 있었느냐?"

"던전 2층 함정이었어요. 사람의 생명력을 빨아들이는 보물상자. 그 안에 몬스터의 생명력을 가득 먹였더니 나타났어요. ……아마 그간 사람의 생명력도 많이 빨아들였겠죠."

"그 보물상자는?"

"이미 함정의 효력을 잃기는 했지만, 확실히 없애뒀어요."

"잘했다. 그건 아주 잘했다."

연금술사는 그렇게 말하고는 후우, 놀란 숨을 다스렸다. 그는 에반이 자신 앞에 이것을 꺼내놓은 이유도 물론, 짐작하고 있었다. 어찌 모르겠는가.

"꼬맹아, 내가 네게 언젠가 연금술을 배우는 티가 난다고 말한 적이 있었지?"

"있었죠. 할아버지가 해준 최고의 칭찬인데 그걸 제가 잊어

먹을 리가 있겠어요?"
"그 말 취소하마."
"아, 왜애."
"넌……."

버나드는 불사조의 깃털을 한 번 조심스레 만져보고는, 혹시나 그것이 상처를 입을까 겁나 다시 조심스레 손을 떼어놓았다. 그리곤 에반의 반짝이는 보랏빛 두 눈을 직시하며 말했다.

"에반, 넌 이제 연금술사다. 진리를 탐구할 최소한의 자격을 갖춘 연금술사 말이다."
"그럼, 저랑 같이 연구해줄 거예요?"
"하."

칭찬을 하자마자 그런 대담한 말을 내던지는 에반을 보며 버나드는 웃지 않을 수 없었다. 마치 젊고 패기만 넘쳤던 시절의 자신을 보는 것 같지 않은가.
하지만 그 패기로 인해 실패도 많이 겪었던 그때의 자신과는 달리, 지금 에반에게는 버나드가 함께하며 이끌어주고 있다.
그것이 다르다. 결정적으로 다르다. 그 끝을 감히 예상할 수 없을 만큼, 다르다.

"당연하지, 꼬맹아. 앞으로 해야 할 일이 아주 많을 테니 각오해라."

"흐, 각오는 할아버지한테 이걸 보여주기로 결심한 순간부터 충분히 하고 있었거든요."

"아바아!"

두 연금술사는 서로를 도발하는 듯한 미소를 지으며 굳게 악수했다. 그 옆에선 엘리자베스가 뭘 알기라도 한다는 듯이 꺄르륵 웃으며 박수를 치고 있었다.

엘리자베스는 언제나 언제까지고 에반의 품에 아기 코알라처럼 안겨 생을 보낼 각오로 만만인 듯했으나 하루를 지나 드디어 소라인 후작과 2부인 미리엄의 인내가 한계에 이르렀다.

"아부우우우우!"

"자자, 리즈. 엄마 품에 오렴."

"어이쿠, 이 녀석 정말 힘센 거 보소. 네 오빠 소매 뜯겨나가겠다, 나가겠어."

따라서 그날 아침식사 자리에서 결국 엘리자베스의 인계가 이루어지게 되었다. 엘리자베스는 눈물을 뚝뚝 흘리며 에반의 소매를 붙잡았으나 엄마와 아빠의 공세를 이길 수는 없었다.

"아부우, 어바, 어바아!"
"누가 보면 생이별이라도 하는 줄 알겠다, 리즈……."
"리즈, 눈을 낮춰야 하는 거야. 알겠지? 세상에 에반 오빠 같은 남자는 별로 없어요."
"그래, 리즈. 이 큰오빠를 봐라. 큰오빠의 얼굴을 보고 이 험난한 세상에 적응하는 거다."
"아니, 형도 잘생겼다니까."

에반이 에릭의 말에 쓴웃음과 함께 대꾸하며 스프를 한술 뜨는데, 엘리자베스와 장난을 치고 있던 에릭이 문득 그를 돌아보며 제법 진지한 투로 말했다.

"그러고 보면 에반, 네게 말해둬야 하는 게 있었구나."
"뭔데?"
"나도 이번에 던전에 들어갈 생각이다. 물론 너와는 달리 기사들의 도움을 받아야겠지만, 그래도 내가 던전에서 1인 몫을 해낼 수 있을지 시험해보고 싶어."
"오, 진짜?"

이건 굉장히 의외로운 전개였다. 다만 반가운 전개이기도 했다. 눈을 동그랗게 뜨는 에반을 마주 보며 에릭이 또렷한 어조로 말을 이었다.

"이전엔 성인이 되면 던전에 들어가야 하는 것이라고 굳게 마음을 먹고 있었지. 하지만 너를 보며 깨달았어. 그렇게 생각하고 있던 것부터가 나 스스로 내 한계를 정해버리는 어리석은 짓이 아니었는가, 하고 말이지."

"응, 나도 들어갔다 와보니까 형도 되도록이면 일찍 들어가는 게 좋겠더라고. 형 능력이라면 전혀 문제없을 거야."

에반이 대수롭지 않게 내뱉는 말에 에릭은 어쩐지 불안하던 마음이 평온하게 가라앉는 느낌이었다.

근거 따윈 하나도 없을 터인데 그가 이리 확신하니 왠지 정말 그대로 이루어질 것만 같은 기분이 드는 것이다.

"그렇게 생각해주니 고맙구나, 에반."

"뭘, 당연한 걸 말했을 뿐인데. 형도 형 능력을 알잖아. 동세대에는 없는 마도의 재능인데."

"큼, 그렇게 생각하니. 확실히 노력은 하고 있을 셈이다만……."

물론 벨루아는 제외하고서 말이다. 에반이 칭찬하자 에릭은 마냥 흐뭇해져 흠흠, 헛기침을 했다. 그때 후작이 빙긋이 웃으며 끼어들었다.

"얘기는 정리된 것 같구나. 그러면 에릭, 언제 가겠느냐?

열다섯 살 생일에 맞추어 준비할까?"
"아뇨, 아버님."

에릭은 후작의 말에 휘휘 고개를 저었다. 그는 에반처럼 모든 이의 시선을 잡아끌며 던전으로 향할 생각이 없었다. 형이 동생의 뒤를 따라 하는 것이니 조금 폼이 없어 보일뿐더러, 무엇보다도…….

"저는 던전과 관련된 일로 주목받을 필요가 없습니다, 아버님. 그것은 던전 기사단장이 될 에반의 몫이죠. 저는 그저 제가 셰어든 후작가의 이름을 지고 던전도시를 다스릴 자격이 있다는 것을 증명하고 싶을 뿐입니다."
"과연. 뜻이 그러하더냐."
"예, 아버님. 그러니 저는 조용히 들어갔다 조용히 나오겠습니다. 무력은 뛰어나지 않아도 던전에서 제 판단과 행동을 보조해줄 식견 있는 기사를 두 명만 준비해주시면 됩니다."
"……그래, 네 뜻을 알겠다. 애비는 네가 자랑스럽구나."

매 순간 모든 분야에서 빛날 수는 없어도, 물밑에서 부지런히 움직이며 그 모두를 조용히 관리하고 지지해내는 것이 영주될 자의 덕목.
후작은 자신의 큰아들이 올바른 방향으로 나아가고 있는 것이 너무나 기뻤다. 에반을 질투하지 않고 자신의 본분을 명확히 인지하며 똑바로 제 길을 나아가고자 하는 것 또한 실로 흡족한 일이다.

"아주 누구 아들들인지 두 놈 다 똑 부러지게 낳아놨어."

"맞아요. 이런 점은 엄마를 참 많이 닮았다니까."

"하하, 레디네도 농담이 여전해. 나를 닮았지 않은가."

"어라, 저랑은 생각이 많이 다르네요. 우흐흐."

후작과 1부인이 하찮은 기 싸움을 벌이는 가운데 이미 그런 광경에는 익숙해진 에반은 조용히 빠르게 식사를 마쳤다.

여전히 자신에게 손을 뻗는 엘리자베스의 손을 한 번 맞잡았다 놓고 조심스레 일어나는데 후작이 그에게 별것 아니라는 투로 말했다.

"오늘 국왕 폐하께서 왕도로 귀환하신다."

"공주님도 같이 돌아가시는 거 맞죠?"

"네 절실한 마음은 알겠다만 왕녀 전하 앞에서도 그렇게 말하면 안 된다. 어쨌든 환송식을 하기로 했으니 너도 꼭 참여해다오."

"씁, 어쩔 수 없죠……."

환송식은 오전, 도시의 북문에서 간단하게 열렸다. 애초에 시끌벅적하게 찾아오지 않았으니 시끌벅적하게 돌아갈 필요가 없었다.

국왕은 어디까지나 두 가문의 친분 때문에 왔음을 강조했다. 연결 또한 강조했다.

"던전도시가 있어 실크라인이 유지될 수 있음을 항상 기억하고 있네. 앞으로도 잘 부탁하네, 소라인 디 셰어든 후작."

"폐하의 성은 미처 갚을 길이 없습니다. 셰어든은 언제나 왕가에 충성할 것입니다."

어른들이 복잡하고 쓸데없이 예의를 차려 인사하고 있었다면 아이들의 작별인사는 간단하고 진솔했다.

"다시 만나게 될 날을 기대하겠다, 에반. 더 강해져라."

"아뇨, 무소식이 희소식이라고 기왕이면 다시 뵙지 말죠. 그냥 서로의 자리에서 힘냅시다."

"에릭 공자님, 나중에 다시 토론해요."

"즐거운 시간이었습니다, 아미드 전하. 차후 왕도로 직접 찾아뵙겠습니다."

검에 집착하던 1왕자가 그나마 에반과 친분을 쌓았다고 말할 수 있다면, 책을 좋아하는 2왕자는 던전도시에 머무르는 내낸 에릭과 함께한 모양이었다. 나이 차이, 신분 차이에도 불구하고 둘은 상당히 깊은 친구 관계가 되어 있었다.

"에반 오빠, 기사단에 내 자리 남겨둬야 해!"

그리고 공주는 작별인사를 하는 내내 에반의 어깨를 토닥토닥 두드리며 기사단을 강조하고 있었다. 물론 에반은 언제나처럼 철벽을 쳤다.

"공주님께는 죄송합니다만 우리 기사단은 저보다 신분이 높은 사람은 받지 않을 계획입니다."
"괜찮아, 난 신분사회가 철저하고 험난하다는 걸 잘 알고 있으니까 오빠 명령에도 잘 따를 수 있어. 지렁이를 미워하라는 명령만 아니면 다 할 수 있어."

역시나 이 녀석을 상대로는 말이 통하지 않았다. 에반은 양쪽 어깨에 루비와 루시를 얹고 자랑스레 뻐기고 있는 세레이나를 무시하며 1왕자에게 간곡히 부탁했다.

"동생 단속 앞으로 잘 부탁드립니다, 데미안 전하."
"하하, 이미 말했지만 난 이 말괄량이를 막을 힘이 없다."
"전하, 굉장히 자랑스러워 보이시네요."

음, 이 녀석을 상대로도 말이 통하지 않았다. 희망을 찾아 2왕자에게로 고개를 돌린 에반이었으나, 1왕자보다도 유약한 인상의 2왕자는 희미하게 웃으며 고개를 저을 뿐이었다. 니체가 옳았다. 신은 죽었다.

"세레이나, 오거라. 이제 왕도로 돌아가야지."

"우으, 내가 꼭 빨리 힘을 길러서 돌아올게, 에반 오빠. 그러니까 그땐 기사단 부단장 자리 줘야 해."

"부단장 직은 샤인 자린데요."

"그럼 내가 샤인한테서 쟁탈할 거야!"

공주라는 직위는 포기해도 금세 또 다른 직위를 탐내다니 역시 권력자의 근성에는 무서운 데가 있었다.

에반이 고개를 절레절레 저으며 뭔가 말하려는데 세레이나가 기습적으로 그의 입술에 입을 맞추었다. 짧은 순간이었지만 감촉은 확실히 남았다. 아주 뜨거웠다.

"……아니."

저번엔 그래도 뺨에 하더니 이번엔 입술이라니. 게다가 방금 속도가 이상하게 빨랐는데? 테이머로서 수련을 하더니 존재레벨까지 어느덧 이렇게 성장했단 말인가!?

"그럼 다음에 봐, 에반 오빠!"

에반이 쩌저적 굳어버리는 가운데 세레이나는 자신도 부끄럽기는 한지 헤헤, 볼을 붉히며 웃곤 뒤돌아 뛰어갔다. 허공에서 통통 뛰는 분홍색의 트윈테일이 유독 선명하게 눈에 들어왔다.

에반은 여전히 움직이지 못했고, 그런 에반을 그 자리에 있던 세 명의 남자가 가만히 바라보고 있었다. 아마도 순수하게 그의 반응이 궁금했던 것이리라.

"이, 이쪽에서 당한 건."

드디어 에반이 필사적으로 말을 짜냈다.

"이쪽에서 당한 건 노 카운트인 거 다들 알죠……?"
"……흠, 일단 아바마마께 보고를 드리고."

'피의자의 변론은 여기까지군요, 잘 알겠습니다.' 하고 말하는 검사 같은 표정으로 1왕자가 말했다. 2왕자와 에릭도 거들었다.

"방금 광경을 증언해줄 사람들을 확보해볼까요. 에반 공자와 세레이나가……."
"에반, 축하한다."
"아니, 잠깐만! 잠깐만, 이상하잖아! 뭘 축하하는 건데! 뭘 증언하는데! 나 억지로 당했다니까? 다들 봤잖아! 봤지, 왜 눈

돌리는데!"

에반의 필사적인 만류로 그 일은 국왕에게 보고되지 않는 선에서 끝났으나, 그의 불안감은 증폭될 뿐이었다. 부디 세레이나 공주에게 좋은 사람이 나타나길!

❋❋❋

그날 오후에는 펠라티 백작가 또한 던전도시를 떠났다. 사실 이렇게 길게 머무른 것이 이례적인 일이었으나, 워낙 중요한 일 두 가지가 있었기에 어쩔 수가 없었다.

첫째는 열두 살 아이의 던전 도전이라는 업적을 펠라티 백작 멜토가 어떻게든 자신의 두 눈으로 확인하고 싶었던 것이고, 둘째는 금지옥엽 아리샤 폰 펠라티를 셰어든에 맡기기 위한 절차를 모두 처리하는 일이었다.

"에반, 아주 인상 깊었다. 이번에 너를 보며 나도 크게 느꼈어. 우리 아들도 하루빨리 던전에 보내야겠다고 말이야."

"어…… 크로우 공자, 힘내요."

"그런 눈으로 보지 말아요, 에반 공자. 나도 할 수 있습니다. ……지금 당장은 아니고, 조금 단련을 더하면!"

에반이 보인 눈부신 활약, 그리고 개선에 깊은 감명을 받은 멜토는 에반의 어깨를 연신 두드리며, 토닥이며 그를 칭찬했다.

반면 대공자 크로우는 정반대로 압박을 받게 된 모양이지만, 에반의 존재가 그에게 있어 자극이 되기는 했는지 제대로 의지를 불태우고 있는 모양이었다.

"벨루아 양, 지금보다 훨씬 멋지게 성장해 돌아오겠습니다. 기대해주세요!"

"……부디 알아서 하시길."

"후, 이젠 벨루아 양의 싸늘한 대꾸도 날 응원해주는 것처럼 들려. 비록 사랑은 얻지 못할지언정 벨루아 양 앞에서 당당할 수 있는 남자가 되어 돌아오겠어!"

"그건 조금 문제가 있는데요. 신성마법 받고 가실래요?"

평생을 키워온 딸, 여동생과 헤어지게 된다는데 이 사람들은 눈물 한 방울 흘리거나 근심을 하지를 않았다. 그만큼 아리샤를 완벽하게 믿고 있다는 뜻이리라. 이제 열두 살 된 어린아이를!

심지어 백작부인은 이런 말을 할 정도였다.

"우리 완벽한 딸의 남편감을 어디서 찾나 걱정했는데, 이젠 에반에게 딸이 처지지 않을까 걱정이라니까. 아리샤, 너라면 잘할 수 있겠지?"

"아마도. 여기서라면."

아리샤는 에반 옆에 선 채 부모와 차례대로 포옹했다. 그렇다. 옆에 선 채. 그녀는 아주 자연스럽게 후작가 저택에서 머무르게 된 것이다. 그녀의 안전과 향후 교육을 생각해보면 실로 당연한 일이었다.

"에반, 우리 아리샤를 잘 부탁한다."

"하하하, 농담을. 전 누군가를 책임지기엔 아직 어리고 연약하답니다."

"어쩜 겸손하기까지 하구나. 하지만 절대 그렇지 않다는 걸 알고 있단다. 우린 에반 너만 단단히 믿고 있으마."

아니, 믿지 말라고! 맡기지 말라고! 그런 에반의 절규는 백작부인에게도, 백작에게도 닿지 않았다.

분명히 같은 인류일 텐데 어째서 말이 닿지 않는단 말인가? 전 대륙은 공용어를 쓰고 있을 텐데 어째서 말이 통하지 않는단 말인가!

"아, 귀족 진짜 싫어. 왕족도 싫어."

"넌 매번 재밌는 말을 하는구나."

"넌 인생이 재밌어서 참 좋겠다."

"여태까진 그렇지 않았는데…… 앞으론 참 재밌을 것 같아."

아, 얘도 진짜 싫어. 에반은 자신을 똑바로 바라보며 말해오는 아리샤의 모습에 진심으로 그렇게 생각하며 고개를 푹 숙였다.

아직 정식으로 창설되지도 않은 던전 기사단에, 기어이 한 명의 예비 단원이 입단한 순간이었다.

"아주 바빠 죽겠수."

형제꼬치의 공동대표가 된 주인장이 에반을 보자마자 입술을 비쭉 내밀며 한 말이었다.

"이렇게 바빠질 줄 알았으면 그냥 여기서 꼬치나 구우면서 지내는 건데."

"바쁘다는 건 잘 되어가고 있다는 얘긴데. 그치?"

입에는 꼬치를 하나 문 채 싱글거리며 에반이 하는 말에 주인장은 차마 반박하지 못하고 고개를 끄덕였다.

"그야 윗분들이 알아서 실력 있는 사람들을 보내줬으니…… 나야 그 사람들한테 가르치기만 하면 되니까 차질이 빚어지거나 하는 일은 일단 없수."

"몇 명?"

"새로 내는 가게가 둘이니 주방장도 둘인데, 두 사람 다 실력이 제법이어서 가르치는 맛이 있수. 둘 다 확실히 몬스터 요리 자격증도 갖고 있고."

형제꼬치의 2호점은 실크라인의 왕도에, 3호점은 마도국 마나로드의 던전도시인 펠라티에 개점하게 되는데, 사실 이 두 곳이 아니고선 지금 당장 형제꼬치를 운영할 만한 여건이 되는 곳이 그리 많지 않았다.

형제꼬치의 키포인트는 첫째가 몬스터 고기이고 둘째가 특제 소스, 셋째가 굽는 법인데, 기술이야 어찌 전수할 수 있고 소스야 이쪽에서 대량으로 만들어서 납품하면 된다지만 첫째가 문제였다.

몬스터 고기를 꾸준히 공수하려면 같은 던전도시이거나 던전도시 못지않게 사람들이 몰려들고 유통이 원활한 왕도가 아니고선 얘기가 되지 않는 것이다.

"사실 아직도 긴가민가한데. 정말 내가 만들어낸 꼬치가 왕도나 다른 나라에서도 먹힐는지……."

"먹힌다는 판단이 섰으니까 여기저기에서 다들 투자를 하는 거지. 떠올려봐, 주인장. 내 생일파티에서 주인장의 꼬치를 먹고 맛없다고 한 사람은 하나도 없었잖아? 그 사람들이 전부 왕도의 귀족이고 타국의 인물들이었어."

"그건…… 그렇긴 했지. 정말 꿈만 같은 날이었어."

주인장은 에반의 말에 덩달아 그날의 풍경을 떠올리며 고개를 끄덕였다. 험하고 거친 탐험가들뿐만 아니라 평소 귀한 것들만 입에 담아왔을 귀족들이 그가 만든 꼬치구이를 먹고 감탄했을 때의 그 성취감, 쾌감은 다른 어떤 말로도 표현할 수 없었다.

"그날, 나도 요리사라고 실감했수."
"주인장은 훌륭한 요리사야. 난 처음부터 그렇게 생각하고 있었어."
"도련님도 참 별난 분이우……. 그렇지, 어쨌든 한 번 맡은 일이니 이제 와 물러날 수는 없지. 왕도도, 펠라티도 내 꼬치로 점령해보겠다 이거유."
"그 기세야, 그 기세. 왕도와 펠라티의 사람들도 모두 행복할 권리가 있지."

맛있는 요리는 곧 삶의 행복이다. 매일 독차를 물처럼 마시고 있는 에반이 할 말은 아닌 것처럼 들릴지 몰라도 에반은 진심이었다.
애초에 그가 독 내성을 기르려고 하는 이유가 무언가, 뭘 좀 안심하고 먹고 싶어서 그런 것이 아니던가!

"혹시 꼬치 말고 다른 요리도 생각하고 있는 게 있으면 언제든 나한테 상담만 해. 전력으로 도와줄 테니까."

"생각이 아예 없는 건 아닌데…… 왜 이렇게 나를 지원해주시는 거요? 나도 포기하고 살던 내 꿈을 밀어주는 이유가 돈 때문이유?"

"돈, 그런 건 부차적인 이유일 뿐이야. 이미 나 돈 많아."

물론 돈이 많으면 많을수록 좋은 것도 사실이다. 다만 그가 오직 돈 때문에 주인장을 꼬드겼냐고 물어본다면 그건 절대로 아니었다.

"그러면?"

"맛있는 걸 먹고 싶을 뿐이야. 주인장 요리는 맛있으니까. 그리고 이왕 먹는 거 다른 사람들도 같이 먹으면 좋잖아?"

"허."

"그렇게 사람들이 한 차원 높은 맛에 눈을 뜨게 하고, 다른 사람들도 보다 새롭고 맛있는 요리를 만들어낼 수 있도록 자극해, 궁극적으로는 이 세상의 식문화를 한 단계 앞으로 나아가게 하는 거지. 어때, 두근거리지 않아?"

"예전부터 생각했지만 도련님은 참 과장을 잘하는 분이시우. 이러다 지렁이가 드래곤으로 둔갑하겠어."

주인장은 에반의 말에 코웃음을 쳤다. 그러나 그의 눈은 웃고 있지 않았다. 감히 상상도 할 수 없을 미래를 그 또한 꿈꾸고 있었다.

“……그래도 참 멋진 과장이유. 맘에 아주 쏙 드우.”

“그치? 이 나라…… 아니, 이 세상 식문화 발전이 주인장 손에 달린 거야. 그러니까 힘내!”

“그건 알겠지만 이제 그만 이름으로 불러주슈. 내 이름은 베인이유, 베인.”

“아니, 이름이 쓸데없이 근사하다니까. 그러니까 그냥 주인장이라고 하자.”

“도련님이 그러니까 다른 사람들까지 다 나를 주인장이라고 부르지 않수! 이름 까먹겠수, 내 이름!”

“그럼 나 간다, 앞으로도 잘 부탁해, 주인장!”

간판을 형제꼬치라고 멋들어지게 바꿔 단 꼬치구이점에서 점심을 해치우고 나온 에반은 형제약국에 들러 오늘의 연금술 수업을 치렀다. 이제는 연금술 이론 수업과 실기가 절반, 나머지 절반은 엘릭시르의 탐구였다.

“장담컨대 이 궤적을 정신없이 좇는 것만으로 네 연금술은 몇 단계고 발전할 것이다.”

“연금술의 진원을 좇는 일인데 당연히 그렇겠죠. 그래야 하고요.”

"좋아, 네가 이제 제법 말귀를 알아듣게 되었구나. 그러면 우선 엘릭시르의 핵심재료부터 정리해보겠다. 자료는 전부 다 있으니 함께 검토해보자꾸나."

지금 당장 그들에게 있는 재료라곤 불사조의 깃털뿐이었으나, 거꾸로 말하면 환상과 신화의 상징이었던 불사조의 깃털이 현물로 그들 앞에 나타난 이상 다른 재료들도 얼마든지 구할 가능성이 있다는 얘기였다.

"다행한 점은 고대로부터 이 실크라인이라는 나라가 온갖 사건의 중심지였다는 것이다. 엘릭시르를 탐구하기엔 이만한 환경이 또 없지."

"전 세상 규모의 동네북이었으니까요. 동토의 마족 놈들도 빽하면 우리나라만 치잖아요."

"그래, 이 나라엔 정말 맥이 흐르는 게 분명해. 나도 지긋지긋하다."

그들은 엘릭시르와 관련된 각종 신화와 전설, 기담, 소문을 총망라하여 철저하게 탐구했다. 인간의 손으로 만들어낼 수 있으리라 여겨지는 재료 쪽에 특히 우선적으로 집중했다.

물론 인간이 만든다 해도 결국 그것을 만드는 데에 필요한 재료를 구해야 했으니 사정은 비슷했지만!

"던전. 이렇게 된 이상 다른 던전들도 철저히 뒤져볼 가치가 있겠어. 던전도시의 던전뿐만이 아니라 아직 미답파 상태에 놓여있는 던전들 또한 그러하다."

"혹시 이미 이 재료 중 무언가 인간의 손에 넘어간 게 있지 않을까요. 그걸 구할 수 있다면……."

"그런 수소문이라면 나도 예전에 질리도록 해봤다. 하지만 연금술조차 잊혀가는 마당에 엘릭시르의 재료를 알아보는 이가 있겠느냐. 설혹 획득한 이가 있었어도 버리거나 헛되이 써버렸을 게다."

"그러면 이미 늦은 게……."

"괜찮다, 에반."

불사조의 깃털이란 희망을 찾아 오래전 잃었던 열망을 되찾은 연금술사의 두 눈은 불에 타오르고 있는 것만 같았다.

"실존했다는 게 밝혀지기만 하면, 그러면 된다. 다시 만들어낼 수 있고, 다시 찾아낼 수 있다. 나는 그렇게 확신하고 있다."

"……좋아요, 그럼 저도 믿을게요."

"좋아. 그럼 다시 시작할까."

"넵!"

요마대전 시리즈에서 끝내 밝혀내지 못한 비밀을 탐구한다는 것, 이 얼마나 매혹적인 일인가!

버나드는 버나드의 이유로, 에반은 에반의 이유로 이 일에 집중했으나 그 목표는 같았으니 두 사람의 열정이 한데 얽혀 거대한 용광로가 된 것만 같았다.

오죽 그들의 열기가 대단했으면 한나는 덥다며 그들에게로 가까이 오지도 않았다. 그 말을 듣는 버나드는 살짝 풀이 죽은 것 같았지만 에반은 신경 쓰지 않기로 했다.

"그러면 오늘부터는 제가 아리샤 영애도 함께 가르치겠습니다. 에반 공자님께 비하면 부족한 점이 많으나 부디 어여삐 봐주시길……."

뜨겁고 뜨거운 연금술 수업이 끝나고 늦은 오후, 에반은 저택으로 돌아와 귀족수업을 들었다.

형인 에릭과는 따로 수업을 받지만 이제부터 저택에 같이 머무르게 된 아리샤와는 같이 수업을 듣게 되었는데, 에반은 아무래도 여기에 펠라티 백작의 입김이 들어가지 않았나 하는 생각을 지울 수가 없었다.

"……교사인데, 에반보다 부족해?"

"예, 그렇습니다. 제가 워낙 부족하여……."

"공부라는 건 모르는 걸 배우는 것만이 아니니까. 배운 것을 되새겨 익히고 낡은 것 사이에서 새로운 것을 만들어내는 과정이기도 하죠. 그렇죠, 선생님?"

"과연 현명하십니다, 공자님. 저도 절차탁마하여 공자님께 부끄럽지 않은 선생이 되도록 하겠습니다."

에반 역시 거의 모든 가정교사로부터 찬사를 받는 학생이었지만 아리샤도 결코 뒤떨어지지 않았기에 대부분의 수업은 수업이라기보단 거의 3인의 토의에 가까운 느낌으로 진행되었다.

에반은 이것이 제왕학 스킬을 키워준다는 것을 알고 있었기에 진심을 다해 수업에 임했다. 카리스마가 강해지면 어디서든 살아남는 데에는 도움이 되겠지!

……물론 이 모든 과정에는 슬라임 수련, 독 내성 수련, 저주 내성 수련이 함께했다.

"에반 공자님은 항상 그 차를 맛있게 드시는군요. 몸에 해롭지 않다면 저도 한 잔 마셔 봐도 되겠습니까?"

"아, 예전 건 괜찮았을지도 모르는데 지금 건 독 내성 없는 사람이 먹으면 죽을지도 모르니까 그만둬요."

"주, 죽……!?"

중간에 가정교사 한 명을 사색으로 질리게 만드는 간단한 사고는 있었지만 그래도 수업은 무사히 끝났다.

아리샤도 무척 흥미로운 표정으로 그가 마시는 차를 보고 있었지만 다행히도 그녀는 호기심을 채우자고 만용을 부리는 바보는 아니었다. 그의 의도 또한 충분히 이해하고 있는 것처럼 보였다.

"역시 넌 재밌어."

"난 재밌지 않아."

"맞아. 넌 날 무서워해. 그렇지?"

"그걸 알면 그렇게 가까이서 들여다보지 말아줄래?"

설령 미래에 그렇게 되지 않을 것을 알아도 그의 사망원인 1위와 오랫동안 마주하고 있을 강심장이 못 되니까!

하지만 에반의 말에 아리샤는 떨어지기는커녕 더욱 스산한 —에반이 보기에는 그랬다— 미소를 지을 뿐이었다.

"왜 무서워할까."

"너랑 나랑 생리적으로 맞지 않는 거지."

"아니, 분명 잘 맞을 거야. 약혼해도 될 정도로."

이 여자 혹시 다른 세계선을 엿보고 온 것은 아니겠지. 에반은 더욱 불안한 표정으로 뒤로 물러났다.

만약 아리샤가 갑자기 요마대전 시리즈에 대한 얘기를 꺼내기라도 한다면 그 자리에서 심장마비로 쓰러질 자신이 있었다.

"그러면 고생하셨습니다. 내일 뵙겠습니다, 에반 공자님, 아리샤 영애."

"고생하셨습니다! 아리샤도! 그럼 이후로는 바쁜 일이 있어서 나도 가볼게!"

"바쁜 일?"

수업이 끝나고, 에반은 누구보다 빠르게 남들과는 다르게 자리에서 벌떡 일어나며 아리샤를 향해 랩이라도 하듯이 빠르게 변명을 토해냈다.

"실은 지금부터 바로 수련이 있어. 안 그래도 오늘부터 샤인, 벨루아와 함께 내가 거둔 아이들을 수련시키기로 약속했거든."

"나도 예비 단원이니까 수련에 참가해."

그러고 보니 그랬다! 그에게는 도망칠 구석이 없었다! 아니, 가만 생각해보면 앞으로 아리샤와는 거의 대부분의 시간을 함께하게 되는 것이 아닌가!?

에반은 뒤늦게 깨달은 사실에 전율했다. 그러나 아리샤는 경악하는 그를 보며 그저 고개를 갸웃할 뿐이었다.

"어, 도련님 오셨습니…… 아, 아리샤 아가씨도 같이 오셨네요."

"도련님."

"기다리고 있었습니다, 공자님."

"도련님!"

그들 예비 던전 기사단에 부여된 후작가 내 수련장. 이미 던전 기사단 예비 단원의 면면이 집합해 그를 기다리고 있다가는 아리샤와 함께 나타난 에반을 보며 고개를 갸웃했다.

"그렇군요, 아리샤 아가씨도 예비 단원이시니."

"잘 부탁해, 벨루아."

"잘 부탁드립니다, 아가씨."

벨루아는 표정을 알 수 없는 냉정한 얼굴로 아리샤를 바라보며 그렇게 말했다. 아리샤도 마찬가지 표정으로 응수했다.

에반은 직감적으로 이 둘의 궁합이 무척 좋지 않으리라고 확신했다. 그런 그에게 샤인이 다가와 조심스레 귓속말했다.

"도련님, 그…… 어쩝니까?"

"……일반 단련법이라고 둘러대자."

오늘은 신인단련법으로 본격적인 교육에 들어가는 첫날이

었다. 그런데 첫날부터 신인족에 대해 알지 못하는 외부인이 끼어들어버린 것이다.

솔직히 무척 난감한 데다 곧 들키지 않을까 하는 생각도 들었지만 이제 와 어쩔 수가 없었다.

"차라리 샤인 네가 쟤 꼬셔주면 안 돼? 끈끈한 관계로 구속하면 비밀을 다 털어놔도 되잖아."

"하하, 도련님 농담도 참. 전 함정밭에 돌진하는 취미는 없습니다. 도련님한테 맡기겠습니다."

"나쁜 놈, 유령이랑 평생 둘이 같이 살아라."

에반과 샤인의 딜교—서로 한 대씩 때리는 것—가 끝난 후, 던전 기사단의 신인단련법 수련이 본격적으로 개시되었다.

겹친 우연과 샤인의 재능으로 탄생한 이 단련법이 연약한 신인족 아이들에게 어떤 변화를 불러올지…… 에반은 샤인을 보며 대충이나마 짐작하고 있었지만.

그것이 그의 상상 이상이었다는 사실이 그로부터 반년 후에 밝혀졌다.

《죽지 않는 엑스트라》 5권에서 계속…….